Komel

—

Intermundus

Orbis Phaenomenologicus

Herausgegeben von
Kah Kyung Cho (Buffalo), Yoshihiro Nitta (Tokyo) und Hans Rainer Sepp (Prag)

Studien 19

Dean Komel

Intermundus

Hermeneutisch-phänomenologische Entwürfe

Königshausen & Neumann

Die Drucklegung dieses Buches haben freundlicherweise ermöglicht:

Ministerium für Wissenschaft und Technologie der Republik Slowenien
Ministerium für Kultur der Republik Slowenien
Institut und Verlag Nova Revija

Übersetzung: Aleš Košar und Alfred Leskovec

Lektorat: Cathrin Nielsen
www.lektoratphilosophie.de, Frankfurt am Main

Bibliografische Information der Deutschen Bibliothek

Die Deutsche Bibliothek verzeichnet diese Publikation in der Deutschen
Nationalbibliografie; detaillierte bibliografische Daten sind im Internet
über <http://dnb.ddb.de> abrufbar.

© Verlag Königshausen & Neumann GmbH, Würzburg 2009
Gedruckt auf säurefreiem, alterungsbeständigem Papier
Umschlag: skh-softics / coverart
Bindung: Buchbinderei Diehl+Co. GmbH, Wiesbaden
Printed in Germany
ISBN 978-3-8260-4015-3
www.koenigshausen-neumann.de
www.buchhandel.de
www.buchkatalog.de

Inhalt

Vorwort

Die unter dem Titel *Intermundus* zusammengefaßten Texte berühren Fragen der Phänomenologie, der Hermeneutik und des interkulturellen Sinnes Europas, die seit rund zehn Jahren das Thema meiner Überlegungen bilden. Was immer aufs neue das phänomenologische Inter-esse für die „Sache selbst" hervorruft, ist eine Weltoffenheit, die über die herkömmlichen kategorialen Schemata der Philosophie hinausreicht. Wie diese Weltoffenheit in den Elementen der Sprache und Geschichtlichkeit gegeben ist, wurde im vergangenen Jahrhundert insbesondere durch die philosophische Hermeneutik aufgedeckt, die nicht nur eine der einflußreichsten Richtungen der Gegenwartsphilosophie ist, sondern uns mit dem Problem der Contemporalität selbst konfrontiert. Und gerade in diesem Zusammenhang eröffnet sich auch die Frage nach dem Sinn Europas unter der Perspektiven der interkulturellen Begegnung und Vermittlung.

Das Geheimnis des Begegnens

Paul Celan spricht in seiner berühmten Rede *Meridian* das an, worüber Dichter am liebsten schweigen – das Gedicht. Er sagt und fragt:

> „Das Gedicht ist einsam. Es ist einsam und unterwegs. Wer es schreibt, bleibt ihm mitgegeben.
> Aber steht das Gedicht nicht gerade dadurch, also schon hier in der Begegnung
> – *im Geheimnis der Begegnung?*"

Begegnen wir einem solchen Geheimnis der Begegnung nur in der Dichtung? Eignet es nicht auch dem phänomenologischen Denken, wenn dieses seinem eigenen Aufruf „Zu den Sachen selbst!" folgt und demgemäß sich selber *inmitten der Sachen* auffindet? Wenn, und gerade wenn wir diese Frage bejahen, bleibt noch offen und strittig, was ist es, dem die Phänomenologie da begegnet. Denn offen und strittig bleiben heißt doch, etwas als Geheimnis wahren.

Eine der rätselhaftesten Stellen überhaupt bei Heidegger stellt zweifellos der siebte, „methodische", Paragraph in *Sein und Zeit* dar. Hier versucht Heidegger den Vorbegriff der Phänomenologie zu klären. Wir finden hier auch den oft gebrauchten und doch mißbrauchten Satz: „*Phänomen* – das Sich-an-ihm-selbst-Zeigen – bedeutet eine ausgezeichnete Begegnisart von etwas."[1]

Was heißt das aber: „Phänomen – eine ausgezeichnete Begegnisart von etwas?" Auf den ersten Blick scheint die Frage überflüssig, weil die Antwort in gewissem Sinne bereits gegeben ist: „das Sich-an-ihm-selbst-Zeigende", nach Husserl *das Evidente*. Ist der angeführte Satz aber wirklich so evident, oder birgt dieses An-sich-sein des Zeigens einen tieferen Gegensatz in sich, der von uns verlangt, ihm zu ent-geg-nen? Das ausgezeichnete Begegnen von etwas, das Begegnen von *etwas als etwas* birgt in sich das Geheimnis des ‚als' als solchem, des Horizonts des Begegnens.

An dem vielleicht wichtigsten Punkt der Klärung des Vorbegriffs der Phänomenologie in *Sein und Zeit*, der der Entformalisierung des formalen Begriffs vom Phänomen als einem Sich-an-ihm-selbst-Zeigenden gewidmet ist, fragt Heidegger: „Was ist es, was in einem ausgezeichneten Sinne ‚Phänomen' genannt werden muß?"[2] Die Frage betrifft keinen bestimmten phänomenologischen Inhalt, in den sich, wie wir vielleicht vermuten könnten, das Phänomen entformalisiert; vielmehr wird die Form des Phänomens selber zum In-halt, oder genauer: sie wird zu einer *inne-haltenden Inter-ferenz*. Die genaue Antwort auf die vorher gestellte Frage lautet nämlich: „Offenbar solches, was sich zunächst und zumeist gerade *nicht* zeigt, was gegenüber dem, was sich zunächst und zumeist zeigt, *verborgen* ist, aber zugleich etwas ist, was wesenhaft zu dem, was sich zunächst und zumeist zeigt, gehört, so zwar, daß es seinen Sinn und Grund

---

[1] Martin Heidegger, *Sein und Zeit*, GA 2, Frankfurt/M. 1977, S. 41.
[2] Ibid., S. 47.

ausmacht."[3] Da – inmitten der Sache selbst – begegnen wir dem Geheimnis der Begegnung, dem geheimnisvollen Spiel des Zeigens und Verbergens, das wir formal als *phänomenologische Interferenz* bezeichnen möchten. Diese verweist nicht nur terminologisch auf eine bekannte Heideggersche Bezeichnung, die *ontologische Differenz*. Sie sind auch sachlich miteinander verbunden. Die Verbindung wird auch in der erwähnten Stelle aus *Sein und Zeit* angedeutet: „Was aber in einem ausnehmenden Sinne *verborgen* bleibt oder wieder in die *Verdeckung* zurückfällt oder nur ‚*verstellt*' sich zeigt, ist nicht dieses oder jenes Seiende, sondern [...] das *Sein* des Seienden."[4]

In *Sein und Zeit* bestimmt Heidegger die Verborgenheit als einen Modus der Verdecktheit,[5] diese aber als den „Gegen-begriff zu Phänomen".[6] Trotz dieser Bestimmung bleibt es offen, ein Geheimnis also, *wie* das Phänomen als Sich-Zeigendes und das Verborgene als der Gegen-begriff des Zeigens zueinander gehören. Und so gesehen, bleibt auch das Sich-Verbergen des Seins selbst ein Geheimnis.

Offenbar handelt es sich darum, daß sowohl „Phänomen" wie auch „Sein" hier aus der Interferenzerfahrung dessen sprechen, was sich den Griechen anfänglich als Wahrheit enthüllte – aus der Un-verborgenheit, *a-letheia*. Nur aufgrund dieser Interferenzerfahrung kann die Verborgenheit als Gegenbegriff zum Phänomen gesetzt werden. Nur in dieser Setzung wird Sein als das Verborgenste und zugleich doch schon irgendwie Entdeckte herausgestellt.

Es handelt sich hierbei jedoch nicht nur um eine Rehabilitierung der altgriechischen Wahrheitsauffassung; diese zeigt sich uns in ihrer Interferenz-Dimension in der Befolgung der Phänomene vielmehr selbst, ihren phänomenologischen Zug im Sehenlassen und ihren hermeneutischen Bezug im Sich-sagen-lassen.[7]

Die Entformalisierung des Phänomenbegriffs wird also in einer anscheinend eindeutigen Formulierung des Verhältnisses zwischen „Sein" und „Phänomen" bestätigt: „[...] Phänomen im phänomenologischen Verstande [ist] immer nur das [...], was Sein ausmacht, [...]".[8]

Es ist angebracht, hier sorgsam vorzugehen: Die zitierte Behauptung meint das Sein *im Unterschied* zum Seienden. Dieser Unterschied bleibt jedoch eine offene Frage. Es geht nicht einfach um eine Ontologisierung der Phänomenologie. Derlei ist nach Heideggers Verständnis der ontologischen Möglichkeiten gar nicht durchzuführen: *„Ontologie ist nur als Phänomenologie möglich."*[9] Aber auch bei dieser Behauptung müssen wir auf der Hut sein. Sie wird nur aus dem Sachverhalt verständlich,

---

[3] Ibid.

[4] Ibid.

[5] Ibid., S. 48.

[6] Ibid.

[7] So betont Heidegger in seiner autobiographischen Skizze „Mein Weg in die Phänomenologie": „ [...] Was sich für die Phänomenologie der Bewußtseinsakte als das sich-selbst-Bekunden der Phänomene vollzieht, wird ursprünglicher noch von Aristoteles und im ganzen griechischem Denken und Dasein als *aletheia* gedacht, als die Unverborgenheit des Anwesenden, dessen Entbergung, sein sich-Zeigen. Was die phänomenologischen Untersuchungen als die tragende Haltung des Denkens neu gefunden haben, erweist sich als der Grundzug des griechischen Denkens, wenn nicht gar der Philosophie als solcher." (In: *Zur Sache des Denkens*, Tübingen 1988, S. 87.)

[8] GA 2, S. 49

[9] Ibid., S. 48.

den wir angegeben haben, als wir auf die Interferenzerfahrung der Unverborgenheit hinwiesen. Was sich im Rahmen der philosophischen Tradition als Ontologie herausbildete, wie auch das, was in der Krisis derselben Tradition mit Husserl als Phänomenologie zur Geltung kam, [10] erleidet hier eine prinzipielle Wende. Sie ist so wesenhaft, daß auch Heidegger in *Sein und Zeit* ihre volle Tragweite und Tiefe wahrscheinlich nicht erkannte. Warum würde er sonst seiner hermeneutischen Phänomenologie die Brille der wissenschaftlichen Philosophie aufsetzen, die er bei Husserl so heftig kritisierte? [11] Noch vier Jahre nach der Veröffentlichung von *Sein und Zeit* unterstreicht er die programmatische These der Abhandlung vehement mit den Worten: „Philosophie ist keine Wissenschaft!" [12]

Philosophie ist keine Wissenschaft, insofern sie – wie auch die Kunst – *offen ist für das Geheimnis der Begegnung*. Die Sache selbst, die die Philosophie anspricht, war von je her strittig und bleibt es noch immer. Sie als Gegen-stand zu vergegenwärtigen verlangt die große Kunst des Denkens. Eine noch größere Kunst ist jedoch gefordert, wenn wir dem Sachverhalt gemäß auf die Rätselhaftigkeit der Gegend des Begegnens selbst hinweisen möchten.

Diese Gegend wird in *Sein und Zeit* „Seinsvergessenheit" genannt. Dabei ist „Vergessenheit", der Auslegung des Begriffs und Gegenbegriffs zum Phänomen gemäß, als ein Modus der Verdeckung bestimmt. [13] So führt uns die phänomenologische Interferenz zur Erfahrung der ontologischen Differenz. Eine Bestätigung dieser Behauptung können wir in den späteren Werken Heideggers finden, wo die ontologische Differenz unter den Namen „Zwiefalt", „Austrag" und „Unter-Schied" auftaucht. Der Unterschied von Sein und Seiendem ereignet sich im Spiel bzw. Zwischen-spiel von Entbergung und Verbergung. In dieser Hinsicht hat sich in *Sein und Zeit* die Frage noch nicht daraufhin zugespitzt, wie es mit diesem Zwischen-spiel von Entbergung und Verbergung steht und inwiefern es das Geheimnis der Begegnung in sich birgt.

Ist das Verbergen des Verborgenen etwas, das mittels des phänomenologischen Sehen-lassens, wenn nötig auch mit Gewalt, in die Entdecktheit der Übersicht gezwungen werden kann? Zweifellos droht die Gefahr, daß das Verbergen des Verborgenen sich aufgrund der Gewaltsamkeit der methodischen Überführung vollständig entzieht. Oder sollten wir dem Verbergen des Verborgenen zuliebe auf die Übersicht verzichten und es nur als Geheimnis aussagbar sein lassen? Damit wiederum setzen wir uns dem Vorwurf der wissenschaftlichen Undurchsichtigkeit oder sogar Mystik aus. [14]

Es bleibt noch etwas Drittes und meiner Ansicht nach echt Phänomenologisches übrig: wir lassen uns auf die Interferenz von Entbergung und Verbergung ein. In diesem

---

[10] Die *ontologische* Hinsicht dieser Veränderung wird durch die Aussage angedeutet: „'Hinter' den Phänomenen der Phänomenologie steht wesenhaft nichts anderes, wohl aber kann das, was Phänomen werden soll, verborgen sein" angedeutet, die *phänomenologische* durch: „Und gerade deshalb, weil die Phänomene zunächst und zumeist *nicht* gegeben sind, bedarf es der Phänomenologie." (Ibid., S. 48)

[11] So lesen wir in *Sein und Zeit*: „Sachhaltig genommen ist die Phänomenologie die Wissenschaft vom Sein des Seienden ..." (S. 50).

[12] Martin Heidegger, *Hegels Phänomenologie des Geistes*, GA 32, Frankfurt/M. 1980, S. 18.

[13] GA 2, S. 47.

[14] Eben dies wird nicht selten den späteren Werken Heideggers vorgeworfen.

Fall muß das methodische Verfahren, bei dem alle Begegnisse schon im voraus auf der transzendentalen Ebene feststehen, übersprungen werden, damit wir uns in der Gegend des Begegnens frei bewegen können. Sie schenkt uns eine Erfahrung des Weges, die auf keine Weise methodisch zu erzwingen ist, jedoch die unerschöpfliche Kraft des Denkens, Dichtens und Dankes mit sich bringt: „Für das sinnende Denken [dagegen] gehört der Weg in das, was wir die Gegend nennen. Andeutend gesagt, ist die Gegend als das Gegnende die freigebende Lichtung, in der das Gelichtete zugleich mit dem Sichverbergenden in das Freie gelangt. Das Freigebend-Bergende der Gegend ist jene Be-wëgung, in der sich die Wege ergeben, die der Gegend gehören."[15]

Je mehr Heideggers Denken in die dunklen Tiefen der Frage nach dem Sein führte, desto weniger blieb die Phänomenologie eine Methode; sie wurde statt dessen, wie auch Friedrich-Wilhelm von Herrmann in seinem instruktiven Aufsatz *Weg und Methode* hervorhebt,[16] allmählich zum Weg.

Im Rahmen von *Sein und Zeit* versteht Heidegger die Phänomenologie ziemlich eindeutig als wissenschaftliche Methode der Philosophie, sogar als ihre einzig mögliche Methode. Danach wird das phänomenologische Begegnenlassen methodisch auf der Basis des Aus-, Zu- und Durchgangs aufgefaßt: „Die Begegnisart des Seins und der Seinsstrukturen im Modus des Phänomens muß den Gegenständen der Phänomenologie allererst *abgewonnen* werden. Daher fordern der *Ausgang* der Analyse ebenso wie der *Zugang* zum Phänomen und der *Durchgang* durch die herrschenden Verdeckungen eine eigene methodische Sicherung."[17] Wir kennen die erwähnten drei Elemente des phänomenologischen methodischen Verfahrens bereits aus der 1927 gehaltenen Vorlesung *Grundprobleme der Phänomenologie* als Reduktion, Konstitution und Destruktion. Hier werden jedoch folgende Fragen zentral: Was macht die innere Bedingung der Möglichkeit des Begegnenlassens aus? Und wodurch wird die Phänomenologie als die ausgezeichnete methodische Art des Begegnenlassens bestimmt?

Das Verb „begegnen" weist auf die Präposition „gegen" hin, die auch als Vorsilbe gebraucht wird, z. B. im Wort „Gegen-satz". Wir können aus der Präposition „gegen" unmittelbar ein Substantiv bilden, wie es etwa im Wort „Gegner" geschieht. Sehr wichtig erscheint uns, daß das Basiswort „gegen" in der Reihe wesentlicher Termini in *Sein und Zeit* auftaucht – z. B. „Gegenwart", „Gegenwärtigen", „Vergegenwärtigen", „Gegenstand", „Gegend" –, die ihre phänomenologische Relevanz gerade in der Verkoppelung mit dem „Begegnenlassen" gewinnen.

Warum hat sich Heidegger für die Verwendung des Terminus „Begegnen" entschieden? Dem aufmerksamen Leser kann kaum entgehen, daß sich mit ihm die Verdoppelung der immanenten und transzendenten Gegebenheiten vermeiden läßt, also der Abgrund zwischen dem Bewußtsein und der Realität, der die Husserlsche Phänomenologie so stark belastet. Und nicht nur seine. Auch France Veber, der Begründer der Phänomenologie in Slowenien, stellt in seinem letzten, umfangreichen Werk aus dem Jahre 1939, *Die Frage der Wirklichkeit* [*Vprašanje stvarnosti*], einer kri-

---

[15] Martin Heidegger, *Unterwegs zur Sprache*, Pfullingen 1959, S. 11.

[16] Friedrich-Wilhelm von Herrmann, *Weg und Methode*, Frankfurt/M. 1990.

[17] GA 2, S. 49.

tischen Auseinandersetzung mit der Meinongschen Gegenstandstheorie und Husserlschen Phänomenologie, die Behauptung auf: „Die Wirklichkeit wird ‚getroffen‘, das heißt: wir treffen auf sie bei unserem Handeln und Wirken, die Phänomene dagegen werden ‚präsentiert‘, ‚geschaut‘, ‚gesehen‘, ohne als Kräfte unseres Handels unmittelbar einzugreifen oder überhaupt eingreifen zu können." [18]

Veber beharrt also auf dem Gegensatz von „Treffen" und „Präsentieren". Wenn wir „die Welt der Phänomene" auf das Bewußtseinsfeld beschränken, begrenzen wir damit schon im voraus – und völlig unangemessen – die Frage nach dem Phänomen der Welt. Diese Frage ist eine der wichtigsten Fragen in *Sein und Zeit*, ja vielleicht berühren wir mit ihr sogar *die wichtigste Frage* der Phänomenologie überhaupt.

Das Vorhaben Heideggers besteht darin, das Phänomen der Welt noch vor jeglicher „Gegebenheit für das Bewußtsein" für unser existentes Befinden in ihr frei werden zu lassen. Erst mit dem existenten In-der-Welt-sein kann die von uns so genannte phänomenologische Interferenz aufleben, obgleich die Gegend des Begegnens und damit auch das Phänomen der Welt in *Sein und Zeit* phänomenologisch noch nicht völlig freigelegt wurde. [19] Wesentliches ist jedoch bereits angedeutet: „Welt ist selbst nicht ein innerweltlich Seiendes, und doch bestimmt sie dieses Seiende so sehr, daß es nur begegnen und entdecktes Seiende in seinem Sein sich zeigen kann, sofern es Welt ‚gibt‘. Aber wie ‚gibt es‘ Welt?" [20] Wie begegnet etwas, was das Begegnen allererst ermöglicht?

Diese Frage tauchte im Rahmen der Auseinandersetzung mit der neuzeitlichen Naturalisierung der Welt auf, die Heidegger anhand der hermeneutischen Interpretation der cartesianischen *res extensa* behandelt. Im Begriff Naturalisierung steckt *natura*, „die Natur". So stellt uns die Kritik der Naturalisierung vor das Verhältnis von Welt und Natur. Das Problem dieses Verhältnisses verschärft sich eigentlich mit der Frage, inwiefern und wie die Natur als Natur begegnet.

In *Sein und Zeit* treffen wir häufig auf die Wendung „das innerweltlich begegnende Seiende". Diese Wendung verleitet uns von selbst zu dem Gedanken, daß es neben dem *inner*weltlich noch das *außer*weltlich begegnende Seiende gibt, was freilich nach Heidegger gar nicht möglich ist, wenn die Welt phänomenologisch das *„Wie"* des Begegnens überhaupt bedeuten soll. Und doch scheint es dies gerade im Fall „der Natur" möglich zu sein. So hören wir in der Vorlesung *Prolegomena zur Geschichte des Zeitbegriffs* (1925), daß die Natur „innerweltlich vorkommen [kann], wenn die Welt, d. h. Dasein existiert. Die Natur kann aber sehr wohl in ihrer eigenen Weise sein, ohne innerweltlich vorzukommen, ohne daß menschliches Dasein und damit eine Welt existiert. Und nur weil Natur *von sich aus* vorhanden ist, kann sie auch dem Dasein innerhalb der Welt begegnen." [21]

Noch radikaler zeigte sich dieser Grenzfall des Begegnens in der Vorlesung *Grundprobleme der Phänomenologie* (1927): „Zur *entdeckten* Natur, d. h. zum Seienden,

---

[18] France Veber, *Vprašanje stvarnosti* [*Die Frage der Wirklichkeit*], Ljubljana 1939.

[19] Der Terminus „Gegend" hat in Sein und Zeit die begrenzte, aber zentrale Bedeutung des „Wohin des möglichen zeughaften Hingehörens".

[20] Ibid., S. 97.

[21] Martin Heidegger, *Prolegomena zur Geschichte des Zeitbegriffs*, GA 25, Frankfurt/M. 1995 , S. 19.

sofern wir uns zu ihm als enthülltem verhalten, gehört, daß es je schon in einer Welt ist, aber zum *Sein* der Natur gehört nicht Innerweltlichkeit."[22]

Über die Explikation der Seinsweise der Natur verliert Heidegger, ähnlich wie in bezug auf die Leiblichkeit und teilweise auch die Sprache, in *Sein und Zeit* kaum ein Wort. Für die Explikation sowohl des Phänomens der Natur wie auch der Leiblichkeit und der Sprache scheint die existenziale Struktur der Befindlichkeit ausschlaggebend zu sein.[23] So könnten wir hinsichtlich des Verhältnisses Welt-Natur sagen, daß das auf die Weise des In-der-Welt-seins ausgetragene Wesen des Menschen immer schon von der „Natur" getragen wird. Damit bekommt die Natur den Charakter eines eigentümlichen, aller Geschichte vorausgehenden Geschickes, was Heidegger aber in *Sein und Zeit* noch nicht eigens expliziert.

Dazu kommt es erst nach *Sein und Zeit*, wo Heidegger den Entbergungscharakter der Grundstimmungen ausführlicher verfolgt. Hinzu tritt, immer radikaler, die phänomenologische Relevanz des anfänglich griechischen Offenbarens der „Natur" als *physis*.[24] Schon in der Vorlesung aus den Jahren 1929/30, *Die Grundbegriffe der Metaphysik. Welt–Endlichkeit–Einsamkeit*, bestimmt er sie als „[…] Walten des Seienden im Ganzen, das das menschliche Schicksal und seine Geschichte mit in sich begreift", „und auch [sogar] in gewisser Weise das göttliche Seiende in sich schließt."[25]

In *Sein und Zeit* kommt der phänomenologischen Interferenz – im Rahmen des temporalen Entwurfs – ein ekstatisch-horizontaler Sinn zu: „Das Vernehmen im weiteren Sinne läßt das Zuhandene und Vorhandene an ihm selbst ‚leibhaftig' hinsichtlich seines Aussehens begegnen. Dieses Begegnenlassen gründet in einer Gegenwart. Sie gibt überhaupt den ekstatischen Horizont vor, innerhalb dessen Seiendes leibhaftig *anwesend* sein kann."[26]

Das hier nur angedeutete Verhältnis zwischen dem Begegnenlassen und der Zeitlichkeit wird ausführlich im *Kantbuch* (1929) analysiert. Auf der Basis der hier angegebenen Feststellung: „das Begegnende selbst ist im vornhinein schon umgriffen durch den in der reinen Anschauung vorgehaltenen Horizont der Zeit"[27] können wir uns nun fragen, wie es um den Horizont selbst steht. Diese Frage stellen heißt nicht mehr, die phänomenologische Interferenz ekstatisch-horizontal zu interpretieren, sondern umgekehrt, den Horizont der Zeit selbst aus der phänomenologischen Interferenz zu betrachten, d. h.

---

[22] Martin Heidegger, *Grundprobleme der Phänomenologie*, GA 24, Frankfurt/M. 1997, S. 240.

[23] Heidegger sieht dies ganz deutlich im Aufsatz „Vom Wesen des Grundes": „ … Natur [läßt sich] weder im Umkreis der Umwelt antreffen, noch überhaupt primär als etwas, *wozu* wir uns *verhalten*. Natur ist ursprünglich im Dasein offenbar dadurch, daß diese als befindlich-gestimmtes *inmitten von* Seiendem existiert. Sofern aber Befindlichkeit (Geworfenheit) zum Wesen des Daseins gehört und in der Einheit des vollen Begriffs der *Sorge* zum Ausdruck kommt, kann allein hier erst die *Basis* für das *Problem* der Natur gewonnen werden." (*Wegmarken*, GA 9, Frankfurt/M. 1996, S. 155-156).

[24] Diese phänomenologische Relevanz der *physis* blieb in *Sein und Zeit* noch verhüllt. Erst in der Vorlesung *Einführung in die Metaphysik* verweist Heidegger auf die wahrscheinliche etymologische Verbindung des indogermanischen Ursprungs der Verben *phainesthai* und *phuo*. (Martin Heidegger, *Einführung in die Metaphysik*, GA 40, Frankfurt/M. 1983, S. 76) Ähnliches könnten wir bezüglich des Verhältnisses *physis-logos-atletheia* konstatieren.

[25] Martin Heidegger, *Die Grundbegriffe der Metaphysik. Welt–Endlichkeit–Einsamkeit*, GA 29/30, Frankfurt/M. 1983, S. 39.

[26] GA 2, S. 458.

[27] Martin Heidegger, *Kant und das Problem der Metaphysik*, GA 4, Frankfurt/M. 1993, S. 75.

als solches, was selbst dem Spiel des sich verbergenden Entbergens zugehört. Das deutet auch das Wort „Gegen-wart" an. Die Gegenwart im oben angegebenen Sinne ist in der Tat für das Begegnenlassen konstitutiv. Doch andererseits wird sie selbst als Gegen-wart instituiert von der offenen Gegend des Begegnens.

Das wird auch in der Schrift „Vom Wesen der Wahrheit" deutlich, die dem *Kantbuch* folgte. Der ermöglichende Horizont ist hier einer Kraft *des Verbergens* des Seienden im Ganzen unterstellt, die nach den Worten Heideggers älter ist als das Seinlassen: „Sie ist älter auch als das Seinlassen selbst, das entbergend schon verborgen hält und zur Verbergung sich verhält." [28]

Das Bergen des Verborgenen, das in dem Interferenzspiel von Entbergung und Verbergung waltet, beginnt hier als ein Geheimnis zu sprechen: „Nicht ein vereinzeltes Geheimnis über dieses und jenes, sondern nur das Eine, daß überhaupt das Geheimnis (die Verbergung des Verborgenen) als ein solches das Da-sein des Menschen durchwaltet." [29] Dieses Geheimnis, phänomenologisch als das Verbergen des Verborgenen bezeichnet, dürfen wir zurecht das „Geheimnis des Begegnens" nennen. Das Phänomen, das, was auf ausgezeichnete Weise begegnet, steht immer in einer Spannung zum Verbergen, welches keine noch so gewaltige Methode des Sehenlassens beseitigen kann. Dieser Sachverhalt tritt in der Schrift „Der Ursprung des Kunstwerkes" (1936) noch klarer hervor: „Jegliches Seiende, das begegnet und mitbegegnet, hält diese seltsame Gegnerschaft des Anwesens inne, indem es sich zugleich immer in eine Verborgenheit zurückhält. Die Lichtung, in die das Seiende hereinsteht, ist in sich zugleich Verbergung." [30]

Indem die Offenheit hier als eine Lichtung bestimmt wird, die in sich selbst zugleich Verbergung ist, springt auch die Inter-dimension der phänomenologischen Inter-ferenz ins Auge. Die sichverbergende Lichtung bestimmt Heidegger auch als „offene Mitte": „Diese offene Mitte ist daher nicht von Seiendem umschlossen, sondern die lichtende Mitte selbst umkreist wie das Nichts, das wir kaum kennen, alles Seiende." [31]

Es folgt noch ein weiterer Schritt. Die Gegnerschaft des Anwesens bahnt sich ihren Weg aus dem gegenseitigen Tragen und Austragen von Welt und Erde. Mit der „Erde" denkt Heidegger noch gründlicher, d. h. vom Grund der phänomenologischen Interferenz her, was wir die „Natur" nennen und was sich den Griechen als *physis* enthüllte: „Die Erde ist das, wohin das Aufgehen alles Aufgehende und zwar als ein solches zurückbirgt. Im Aufgehen west die Erde als das Bergende." [32]

Aber auch hier werden die Interferenzdimension der sichverbergenden Entbergung und das sie bergende Geheimnis als Ort des Begegnens in der Welt noch nicht ganz frei. Es kann nicht genug auf die Gegenwendigkeit von Erde und Welt und auf den eröffnenden Streit zwischen den beiden hingewiesen werden. Wir müssen noch zeigen, wie sich diese öffnende Mitte als Ort des Begegnens in der Welt auftut. Inmitten der Welt heißt: auf der Erde unter dem Himmel. Dies setzt jedoch die Er-

---

[28] Ibid., S. 191.

[29] Ibid., S. 191.

[30] Martin Heidegger, *Holzwege*, GA 5, Frankfurt/M. 1977, S. 40.

[31] Ibid., S. 40.

[32] Ibid., S. 28.

fahrung der Offenheit der Welt als Gegend voraus, auf der sich das Spiegelspiel der Erde und des Himmels, der Sterblichen und Göttlichen frei abspielt.

Das Wort „Gegend" nennt nicht die Welt, sondern die einzigartige Begegnisart der Welt, die uns nur in einer außer-ordentlichen Gelassenheit erreicht. Für den Heideggerschen Gebrauch des Wortes „Gegend" scheint uns die Erklärung in seiner *Heraklit*-Vorlesung aus den Jahren 1943/44 wichtig. Hier stellt er das Wort „Gegend", bzw. im Tiroler Dialekt: „Gegnet", in die Nähe der griechischen Wörter *chora* und *chaos*: „Die Nennworte *chora, chaos* gehen zurück auf *chao*, gähnen, klaffen, sich auftun, sich öffnen, *he hora* als die umgebende Umgegend ist dann die ‚Gegend'."[33]

Diese Erläuterung gehört zwar in den breiteren Kontext der Auslegung der Heraklitischen Bestimmung des *logos* als *panthon kechorismenon*. Die Bedeutung des Wortes „Gegend" wird ausführlicher als „die umgebende, Orte und Richtungen gewährende, sich öffnende und entgegenkommende Weite" bestimmt.[34] Bei der Kennzeichnung des Heraklitischen *logos* bewahrt Heidegger die Nähe von Gegend und Gegenwart: „Der *logos* ist als die ursprünglich wahrende Versammlung die gegendhaft entgegnende Gegenwart, in der das Aufgehende und Ver-gehende anwest und abwest."[35] Außerdem erkennt Heidegger im Wort *kechorismenon* die Herrschaft des Unter-schiedes von Sein und Seiendem an. Dieser Unterschied gegnet als Gegend auf die Weise der sichverbergenden Lichtung. Wir finden uns in der Dimension der phänomenologischen Interferenz wieder, jetzt aber nicht mehr der einseitig horizontal begründeten. Sie erhält eine überschüssige *Mehrseitigkeit*, die nicht mit einer gleichgültigen Vielseitigkeit gleichgesetzt werden darf.

Fast zur gleichen Zeit wie die erwähnte Vorlesung entstand auch der Aufsatz „*Agchibasie*. Ein Gespräch selbstdritt auf einem Feldweg zwischen einem Forscher, einem Gelehrten und einen Weisen". Der dritte Teil wurde 1959 unter dem Titel „Zur Erörterung der Gelassenheit (aus einem Feldgespräch über das Denken)" veröffentlicht, der Gesamttext jedoch erst 1995.[36] Die ursprünglich publizierte Schrift berührte den Unterschied zwischen der phänomenologischen Welterfahrung als dem Vorstellungshorizont und jener der gegnenden Gegend: „Das Horizonthafte ist somit nur die uns zugekehrte Seite eines uns umgebenden Offenen, das erfüllt ist mit Aussicht ins Aussehen dessen, was unserem Vorstellen als Gegenstand erscheint."[37] In der Offenheit des Horizonts bleibt das Begegnenlassen jederzeit möglich, ohne daß es als Geheimnis des Verweilens des Menschen auf der Erde unter dem Himmel, also inmitten der Welt, erfahren wird. Es wird zu einer Erfahrung erst, wenn wir uns gelassen auf die Gegend des Begegnens einlassen – in Gelassenheit zur Gegend. In einer solchen Gelassenheit zur Gegend begegnet uns die Gegend selbst, was wir als ein „weites Beruhen" erfahren: „Gegnen ist das versammelnde Zurückbergen zum weiten Beruhen in der Weile."[38]

---

[33] Martin Heidegger, *Der Anfang des abendländischen Denkens (Heraklit). Logik. Heraklits Lehre vom Logos*, GA 55, Frankfurt/M. 1987, S. 335.

[34] Ibid., S. 335.

[35] Ibid., S. 338.

[36] Martin Heidegger, *Feldweg-Gespräche*, GA 77, Frankfurt/M. 1995.

[37] Martin Heidegger, „Zur Erörterung des Gelassenheit (Aus einem Feldgespräch über das Denken)", in: *Gelassenheit*, Pfullingen 1959, S. 39.

[38] Ibid., S. 42.

Dieser Satz spricht von der umgekehrten, von uns weggewandten Seite das phänomenologische Prinzip „Zu den Sachen selbst!" aus. Das weite Beruhen in der Weile eröffnet einen Weg des Denkens, der unermeßlich reicher ist als die Methode der Wissenschaft.

Dieser Weg – es ist nicht so wichtig, ihn noch Phänomenologie zu nennen – braucht die Zeit, die die Armut der Welt zeitigt. Die Armut der Welt zeigt sich einerseits im Verschwinden der heimischen Welt, andererseits in der Vertreibung des Fremden.

Die Zeit, die die Armut der Welt ist, wird wesentlich nicht durch dunkle Kräfte bestimmt, sondern paradoxerweise durch ein unheimliches Bedürfnis nach Transparenz. In planetarer und interplanetarer Hinsicht entspricht ihm das, was wir noch in Umrissen als Informationszivilisation mit ihrer Medienkultur erleben. Dieses Bedürfnis begleitet ein ökologisch bereinigtes Bewußtsein, das wir heute so heimisch wie möglich zu machen trachten. Stellt nicht die Wahrheit dieses Bewußtseins die Heimat des Menschen dar? Wie steht es aber mit der alles beschmutzenden Schamlosigkeit, die unserer Heimat entstammt, unserem Ethos, und sich über das ganze Universum verbreitet?

Hier möchten wir daran erinnern, daß nicht nur die Forschungsergebnisse der Anthropologie, sondern schon der biblische Mythos der Vertreibung aus dem Paradies sowie der Kulturentstehungsmythos des Protagoras den Menschen als schamhaftes Wesen verstehen. Die Scham hält man für ebenso natürlich wie das Lachen oder die Sprache, doch ist sie, phänomenologisch gesehen, nichts Natürliches und auch nichts mit der Kultur Erworbenes. Scham ist nur einem Seiendem möglich, das in seinem Wesen der Entborgenheit ausgesetzt ist. Wenn wir uns schämen, verspüren wir das Bedürfnis, uns zu verhüllen. Die Scham ist die unmittelbarste Weise, wie der Mensch auf seine wesentliche Ausgesetztheit in der Entborgenheit antwortet, indem er sie verbirgt. Mit dem wachsenden Bedürfnis nach der Transparenz von allem und jedem, das die Welt scheinbar reinigt, verschwindet auch das Gefühl der Scham und die Unverschämtheit wächst.

Die Phänomenologie kann nicht darüber entscheiden, ob aus dem Gefühl der Scham irgendeine ethische Verantwortlichkeit oder sogar eine Moral der Scham entspringt, weil eine solche Entscheidung jeden von uns allein betrifft. Sie kann aber auf das hinweisen, wofür sie grundsätzlich verantwortlich ist, insofern sie wesenhaft darauf antwortet – auf das Interferenzspiel des sich verbergenden Entbergens, das das Geheimnis der Begegnung birgt. Dieses läßt uns ein Maß des Seins erahnen, von dem auch der slowenische Dichter Srečko Kosovel spricht:

„Es gibt keine Wunder. Alles was ist, ist Wunder."

Die interpretative Herausforderung der Philosophie

Der Name Nietzsches ist ein Synonym für die Krisis der Modernität geworden, die die Philosophie unserer Zeit wesentlich betrifft. Zugleich aber ist Nietzsche der Zeuge einer Gegenwart, die ein anderes Gesicht sucht. Im Lichte, oder besser, im Schatten seiner Enthüllung des europäischen Nihilismus trat mir schon während meiner Studienzeit der zynische Moralismus der sozialistischen Ideologie klar vor Augen: als der ideologiekritische Wille schlechthin be-willigte sie die ideologische Herrschaft und Gewalt. Die marxistische Ideologiekritik hat Nietzsche – zusammen mit Phänomenologie, Hermeneutik, Existenzialismus und Strukturalismus – in die dekadente, bürgerliche, nachhegelianische Philosophie eingeordnet. Dabei erhebt sich sogleich das Bedenken, ob nicht gerade Nietzsche – viel schärfer als Marx – an der sogenannten „bürgerlichen Philosophie" massiv Kritik geübt hat.

So können wir Nietzsche, zusammen mit oder gar vor Marx und Freud, unter die Kritiker der abendländischen Kultur einreihen, die im 20. Jahrhundert breite Rezeption fanden. Es handelt sich dabei um keine gewöhnliche Rezeption, sondern um eine mehrschichtige konzeptuelle Verwandlung der *gesamten modernen Selbstauffassung* der Philosophie, die vor allem Husserl, Wittgenstein und Heidegger anstießen. So ist die phänomenologische Philosophiekritik Husserls, die den Anfang des vorigen Jahrhunderts prägte, notwendigerweise ganz anders angelegt als die von Nietzsche, und die Heideggersche wieder ganz anders als die von Husserl und Nietzsche, obwohl sie nach ihrer methodologischen Hinsicht phänomenologische Abstammung nachweisen kann und ihr thematischer Ausgangspunkt in der Analytik der menschlichen Existenz sie dem Denken von Nietzsche annähert. Auf der anderen Seite hat Heidegger sich gegen die Bezeichnung des Existenzialismus gewehrt, und wiederum im Streit mit diesem formierte sich damals in Frankreich der Strukturalismus, der in kritischer Auseinandersetzung mit der Heideggerschen Interpretation der Nietzscheschen Philosophie als der vollendeten Metaphysik des Willens zur Macht Nietzsche als den konsequentesten Kritiker der Metaphysik zu rehabilitieren versuchte. Widmen wir uns den einzelnen Philosophen innerhalb der erwähnten Bewegungen und Richtungen genauer, wird das Bild noch verwirrter. So haben sich – obwohl Husserl kein besonderes Interesse an Nietzsche hatte – innerhalb der phänomenologischen Bewegung viele Philosophen an Nietzsche gewandt, jedoch nicht alle. Während bei Eugen Fink eine philosophische Entwicklung von der Phänomenologie zu Nietzsche nachweisbar ist, soll ein anderer Schüler von Husserl und Heidegger, Emmanuel Levinas, der seinerzeit sogar einen Nietzschepreis gewann, keines seiner Werke jemals in die Hand genommen haben. Während dies hier wegen seiner schweren persönlichen Erfahrungen mit dem Nazismus nachvollziehbar ist, so ist die deutlich zurückgezogene Haltung Hans Georg Gadamers gegenüber Nietzsche weniger verständlich. Gadamer gilt als der Begründer der gegenwärtigen hermeneutischen Philosophie, die sich – neben Platon – am ausgiebigsten gerade mit Nietzsche beschäftigt. Seine Zurückhaltung hat sogar Gadamer selbst so überrascht, daß er sie in einem späten Text[39] aus einer persönlichen und hermeneutischen Hinsicht zu klären versuchte. Diesen Text können wir auch als eine Reaktion auf die damalige Nietzscherezeption in Frankreich, vor allem bei Deleuze und Derrida, lesen sowie als eine kleine Korrektur der Heideggerschen Nietzscheinterpretation.

Der Streit, wem Nietzsche eigentlich gehört und wer ihn richtig auslegt, wird offensichtlich nicht so bald an ein Ende gelangen. Was die Phänomenologie und die Hermeneutik betrifft, entsteht die Frage, ob sich Husserl und Nietzsche nicht vielleicht an einem Punkt treffen, zu dem sie verschiedene Wege nehmen, nämlich an der Enthüllung der *modernen Krisis* des europäischen Menschentums. Vielleicht eröffnet sich uns so die Möglichkeit eines vertieften Verstehens der Modernität als einer Art von „Begegnung im Auseinandergehen", die bereits der Moderne den Zug der Differenz einzeichnet, der irrigerweise erst der Postmoderne zugeschrieben wird. Diese Differenz sollte jedoch auf keinen Fall mit dem selbstdeklarierten „Pluralismus" der Postmoderne verwechselt werden.

Kommen wir noch einmal auf Gadamer zurück, der Nietzsche in *Wahrheit und Methode* überraschenderweise eine wesentliche Rolle bei der hermeneutischen Verwandlung der Husserlschen Phänomenologie in die Richtung der Heideggerschen Seinsfrage zuschreibt: „Heidegger hat bekanntlich die wesenhafte Seinsvergessenheit, die das abendländische Denken seit der griechischen Metaphysik beherrscht, an der ontologischen Verlegenheit aufgedeckt, die das Problem des Nichts diesem Denken bereitet. Indem er die Frage nach dem Sein zugleich als die Frage nach dem Nichts aufwies, hat er Anfang und Ende der Metaphysik miteinander verknüpft. Daß sich die Frage nach dem Sein von der Frage nach dem Nichts her stellen konnte, setzte das Denken des Nichts, an dem die Metaphysik versagt, voraus. Der wahre Vorbereiter der Heideggerschen Stellung der Seinsfrage und des Gegenzuges zu der Fragerichtung der abendländischen Metaphysik, den sie bedeutete, konnte daher weder Dilthey noch Husserl sein, sondern am ehesten noch Nietzsche. Das mag Heidegger erst später bewußt geworden sein."[40]

Weitere Erklärungen finden wir bei Gadamer nicht. Die Relevanz des Nietzscheschen Denkens kann indirekt dem Kontext entnommen werden, aus dem Gadamer über den Heideggerschen Entwurf der Hermeneutik der Faktizität und der damit verbundenen Lebensdeutung spricht. Aus dieser Hinsicht könnten wir zwar interessante und weitgreifende philosophiegeschichtliche Betrachtungen über den Lebensbegriff bei Nietzsche, Simmel, Dilthey und Husserl anstellen, aber keine sachliche Begründung für die Anknüpfung der hermeneutischen Phänomenologie an die „nihilistische" Philosophie Nietzsches gewinnen.

Es gibt zwar nicht sehr viele „Dokumente" über den Einfluß von Nietzsche auf die Heideggersche hermeneutische Transformation der Phänomenologie, die in den zwanziger Jahren des vorigen Jahrhunderts zustande kam. Diejenigen, die wir besitzen, sind jedoch äußerst aussagekräftig. So z. B. eine Formulierung Heideggers in der Vorlesung *Prolegomena zur Geschichte des Zeitbegriffs* (HGA 20, Frankfurt/M, 1979, S. 109-110) aus dem

---

[39] Hans-Georg Gadamer, „Nietzsche – der Antipode. Das Drama Zarathustras", GW 4, Tübingen 1987, S. 448-662.

[40] Hans-Georg Gadamer, *Wahrheit und Methode*, Tübingen 1960, S. 243.

Jahre 1925, die von einer gründlichen Auseinandersetzung mit der Husserlschen Phänomenologie angeregt ist. Er hebt hier vor allem die Relevanz der phänomenologischen „Entdeckungen" Husserls, nämlich der Intentionalität, der a priori angesetzten Deskription und der kategorialen Anschauung hervor. „Damit ist die Aufgabe der Philosophie seit *Plato* überhaupt erst wieder auf wirklichen Boden in dem Sinne gebracht, daß jetzt die Möglichkeit einer Kategorienforschung besteht. Die Phänomenologie wird diesen untersuchenden Gang, solange sie sich selbst versteht, beibehalten gegenüber aller Prophetie innerhalb der Philosophie und gegenüber aller Tendenz auf irgendwelche Lebensleitung. Philosophische Forschung ist und bleibt Atheismus, deshalb kann sie sich die ‚Anmaßung des Denkens' leisten, nicht nur wird sie sich sie leisten, sondern sie ist die innere Notwendigkeit der Philosophie und die eigentliche Kraft, und gerade in diesem Atheismus wird sie zu dem, was ein Großer einmal sagte, zur ‚Fröhlichen Wissenschaft'."[41] Schon in dem berühmten Entwurf von *Sein und Zeit* aus dem Jahre 1922, der den Titel *Phänomenologische Interpretation des Aristoteles (Die Anzeige der hermeneutischen Situation)* trägt, bemerkt Heidegger, daß der Atheismus der Philosophie nicht weltanschaulich, sondern lebensauslegend anzusehen ist; er verbindet sich mit der Möglichkeit, das faktische Leben selbst zur freien Interpretation zu bringen und so „die Welt [zu] haben".[42]

Am Schluß der Vorlesung *Die Grundbegriffe der Metaphysik. Welt–Endlichkeit–Einsamkeit* aus dem Jahre 1929/1930 (GA 29/30) wird der Atheismus der Philosophie in Enthusiasmus umgedeutet. Dabei zitiert Heidegger Nietzsches *Das trunkene Lied*. Die Vorlesung zeigt auch, daß Nietzsche – möglicherweise unter dem Einfluß Schelers – nicht nur als der Bote der *Krisis des europäischen Geistes* in den Bereich des Heideggerschen Denkens eintrat, sondern auch als ein *Interpret* des europäischen Menschentums, das sich durch diesen Geist gebildet hat. Geistig gesehen findet und befindet sich das europäische Menschentum zwischen dem alten „Weltbild" und der neuen „Weltbildung".

In der erwähnten Vorlesung – Eugen Fink, dem sie auch gewidmet ist, würde uns darin zustimmen, daß sie neben anderem einen entscheidenden „Treffpunkt von Husserl und Nietzsche" bietet – hat Heidegger auch selbst die formale Bezeichnung der „Weltbildung" in Bezug auf die Frage nach der ontologischen Wahrheit, welche den Interpretationscharakter des *on he on* betrifft, eingeführt. Wenn Gadamers These vom entscheidenden Einfluß Nietzsches auf Heidegger stimmt, dann brauchen wir nur hinzuzufügen, daß das *Eröffnen der Seinsfrage* durch die ontologische Differenz bei Heidegger die Grundstimmung des europäischen Menschentums betrifft, insofern sie durch den *Wahrheitsbezug* entworfen ist. Die *Krisenhaftigkeit* dieses Wahrheitsbezuges ist es, die nicht erst Heidegger und Nietzsche, sondern *schon Nietzsche und Husserl – gerade als diese Krisis – verbindet und zugleich trennt*. Als solche bleibt sie auch für Gadamers *Wahrheit und Methode* oder die *Gramatologie* Derridas bestimmend. Dabei ist es nicht so wichtig, ob es sich um dieselbe philosophische Erfahrung der Krisis handelt, und ob die eine oder die andere weiter oder tiefer reicht. Es geht um die komplexe *Wahrheitserfahrung* des modernen Menschentums als solche, welche die Philosophie zwingt, sich mit ihrem eigenen Sinn, der ihrer langen Tradition zufol-

---

[41] Martin Heidegger, *Prolegomena zur Geschichte des Zeitbegriffs*, GA 20, Frankfurt/M. 1988, S. 109-110.

[42] Martin Heidegger, *Phänomenologische Interpretationen zu Aristoteles*, Stuttgart 2002, S. 28.

ge „logisch" sein sollte, zu konfrontieren. So ist dem Versuch der Uminterpretati-
on des traditionellen „logischen Sinnes" der Philosophie sowohl bei Nietzsche wie
auch bei Husserl und Heidegger zu begegnen.

Die *Logischen Untersuchungen* Husserls, die als der Durchbruch der Phänomenologie
betrachtet werden, erschienen im Jahr 1900. Im selben Jahr starb nach zehnjährigem
Wahnsinn Friedrich Nietzsche, und Hans Georg Gadamer wurde geboren. [43] Die Zeit-
überlappung bestätigt die Ansicht von Jean-Luc Marion, die Phänomenologie biete
sich uns als die wesentliche Möglichkeit der Philosophie nach Nietzsche. [44]

Edmund Husserl hat die Krisis des europäischen Menschentums auf dem Gip-
fel seines philosophischen Strebens nach der Wissenschaftsbegründung der Philosophie vernommen. Die philosophische Wissenschaftlichkeit, die er unter dem
Gesichtspunkt der Phänomenologie entwickelte, darf nicht mit der Wissenschaftlichkeit der positiven naturwissenschaftlichen oder humanistischen Wissenschaften
gleichgestellt werden, da diese den Sinn der europäischen Lebenswelt nicht bestätigen, sondern eher zersetzen. Daß die Wissenschaft den Sinn des Lebens nicht
erhellen kann, beschattet wesenhaft auch das Bestreben nach der wissenschaftlichen Begründung der Philosophie selbst und nötigt sie zu einer grundlegenden
geschichtlichen Selbstbesinnung. Husserl sprach dies klar in der bekannten Beilage
XXVIII zu § 73 der *Krisis* aus: „Die historische Besinnung, die wir hier im Auge
haben müssen, betrifft unsere Existenz als Philosophen und korrelativ die Existenz
der Philosophie, die ihrerseits ist aus unserer philosophischen Existenz." [45]

Wir – d. h. die modernen Menschen – finden uns vor die Aufgabe einer philosophischen *Interpretation* bzw. *Selbstinterpretation* gestellt, die zu einer solchen erst *werden
muß*. Diese *Interpretation* bzw. *Selbstinterpretation* verfügt über nichts Wirkliches und auch
wir verfügen nicht über sie in dem Sinne, daß sie etwas Wirkliches und Handgreifliches
wäre. Eine solche grund-legend geschichtliche Interpretation ist welt-konstitutiv in einem ausgezeichneten Sinne, der zugleich jeden wissenschaftlichen Konstruktivismus
destruiert. Auch der logische Sinn der Wissenschaft muß *zuerst konstitutiv interpretiert*
werden, um nicht in eine unkritische Weltinterpretation zu fallen.

Paul Ricœur hat in seinem Aufsatz *Phänomenologie und Hermeneutik* [46] mit Recht
darauf hingewiesen, daß die Ausführung der phänomenologischen Konstitution bei
Husserl in engster Verbindung zu der interpretativen Welterfahrung steht, und daß
diese interpretative Charakteristik schon in den *Logischen Untersuchungen* zu suchen
sei, trotz des Idealismus, den wir Husserl vorhalten können. *Daß* sie vor eine solche
Selbstinterpretation gebracht ist, charakterisiert das Wesen der Gegenwartsphilosophie innerhalb der modernen Krisis. Die Strömungen der Gegenwartsphilosophie
unterscheiden sich voneinander nur durch das jeweilige Interpretationsmodell, das
sie verfolgen. Wir können sogar die Behauptung wagen, daß die Interpretation zur

---

[43] 1900 ist auch das Erscheinungsjahr von Sigmund Freuds *Traumdeutung* und Simmels *Philosophie des
Geldes* (vgl. dazu U. Kadi, B. Keintzel, H. Vetter, *Traum Logik Geld. Freud, Husserl und Simmel zum Denken
der Moderne*, Tübingen 2001).

[44] Jean-Luc Marion, *Réduction und Donation*, Paris 1989.

[45] Edmund Husserl, *Die Krisis der europäischen Wissenschaften und die transzendentale Phänomenologie*, Hua
VI, The Hague 1954, S. 510.

[46] Paul Ricœur, „Phénoménologie et herméneutique", in: *Du texte à l'action*, Paris 1985, S. 25-64.

„Logik" der Gegenwartsphilosophie geworden ist. Das gilt in besonderem Maße für die Logik der Phänomene, für die *Phänomenologie*. Ihren Logos hat Heidegger in *Sein und Zeit* als den „hermeneutischen" bestimmt. Das Phänomen, formal verstanden im Sinne des Sichzeigens von Etwas als Etwas zeigt sich immer in vorausgehender Ausgelegtheit dieses Etwas, welche uns ihrerseits vor das Problem der entwerfenden Weltinterpretation oder „Weltbildung" stellt, wie es Heidegger in den erwähnten Vorlesungen zum Ausdruck brachte.

Nietzsche kannte die phänomenologische Auffassung des Phänomens und der darauf aufbauenden konstitutiven Weltinterpretation natürlich nicht. Man sieht auch sofort, daß seine Weltinterpretation den Schein hervorhebt bzw. das Spiel des Scheins und den Perspektivismus, der vom horizontalen Weltverständnis unterschieden werden muß, obwohl wir in *Sein und Zeit* den merkwürdigen Satz lesen können: „Wieviel Schein, soviel Sein." In dieser Hinsicht ist es – wie in der Nietzscheforschung bereits vorgekommen – möglich, zwischen dem Sinn der Interpretation bei Nietzsche und dem der Phänomenologie bzw. Hermeneutik zu unterscheiden, d. h. zwischen einem „Hineinlegen des Sinnes" und einem „Auslegen des Sinnes".[47] Es ist aber ebenso möglich, diese Unterscheidung auf der Grundlage der vorangehenden Orientierung an der *Macht der Interpretation* und an der *Möglichkeit* bzw. an den *Möglichkeiten der Interpretation* weiter zu verfolgen. Dabei dürfen wir die konstitutive Leistung der Interpretation für die Welterfahrung nicht unbeachtet lassen, die auch solange nicht in den Begriffen des „Hineinlegens" und „Auslegens" des Sinnes zu fassen wäre, wie der Sinn dieses „Legens" unbegriffen bleibt.

Macht und Möglichkeit sind dynamische Bestimmungen, die auf die geschichtliche Dimension der Interpretation hinweisen, aus der die Welthorizonte und Lebensperspektiven als ein gegenseitiges Hinein- und Auslegen des Sinnes aufgehen. Es ist wichtig einzusehen, daß es sich weder bei Nietzsche noch in der Phänomenologie und Hermeneutik um eine Interpretation der Wirklichkeit handelt, sondern um eine freie interpretative Welt-bildung, die den Wert des Lebens und das Bewerten der Lebensphänomene wesentlich umdeutet. Durch die Möglichkeit der freien Interpretation kommt dem Phänomen des Lebens und dem Leben der Phänomene ein Eigenwert zu, was die Frag-würdigkeit des Wahrheitsbezuges als dem Wesenszug der Krise des modernen Geistes einschließt. Diese Frag-würdigkeit könnte zunächst als die Offenheit des Fragens, d. h. als die phänomenologische Möglichkeit der Interpretation gedeutet werden. Sodann wäre sie aber als die Würdigung des Fragens selbst zu verstehen, das die *Macht der Interpretation* ausmacht, welche nach Nietzsche auch in Form einer *Moral* auftreten kann.

In diesem Zusammenhang wird häufig ein Aphorismus Nietzsches aus *Jenseits von Gut und Böse* zitiert: „Es gibt gar keine moralischen Phänomene, sondern nur eine

---

[47] Vgl. Johann Figl, *Interpretation als philosophisches Prinzip. Friedrich Nietzsches universale Theorie der Auslegung im späten Nachlaß*, Berlin/New York 1962; Johann Figl, „Nietzsche und die philosophische Hermeneutik des 20. Jahrhunderts. Mit besonderer Berücksichtigung Diltheys, Heideggers und Gadamers", in: *Nietzsche-Studien* 10-11 (1091/82), S. 408-430; Wolfgang Müller-Lauter, *Nietzsche. Seine Philosophie der Gegensätze und die Gegensätze seiner Philosophie*, Berlin/New York 1971; Wolfgang Müller-Lauter, „Der Geist der Rache und die ewige Wiederkehr. Zu Heideggers später Nietzsche-Interpretation", in: F. W. Korff, *Redliches Denken*, Festschrift für Gerd-Günther Grau, Stuttgart 1981, S. 92-113; Günter Abel, *Die Dynamik der Willen zur Macht und die ewige Wiederkehr*, Berlin/New York 1984.

moralische Ausdeutung von Phänomenen."[48] Nietzsche versteht dabei ‚Phänomen' in einem gewöhnlichen, nicht phänomenologischen Sinne. Die Feststellung ist noch in einer anderen Hinsicht provokant, wenn wir uns die Wendung »moralische Phänomene« näher ansehen. Es ist schwer, über „moralische Erscheinungen" oder „moralische Erlebnisse" zu reden. Den »moralischen Phänomenen« begegnen wir in unserem Leben, insofern das Leben im Sinne der Frage, was ihm förderlich ist und was nicht, *bewertet wird*. So bewertend *interpretiert sich* das Leben aus sich selbst heraus. Die Interpretation ist für Nietzsche in erster Linie die Weise, wie das Leben *sich selbst* als einen Wert nimmt und so erst seiner selbst mächtig wird.

Es steht außer Frage, daß die kritische Auseinandersetzung mit den „moralischen Phänomenen" und mit dem Phänomen der Moral als solchem die zentrale Stelle innerhalb der Philosophie Nietzsches einnimmt. Die Moral ist für Nietzsche die Schwere, die den europäischen Geist befällt. Seine Dekadenz und sein Nihilismus sind durch keine bessere Moral zu überwinden, denn sie stellen selbst eine Folge der Verbesserungsmoral dar. Soll die Moral den Nihilismus bekämpfen, muß sie sich selbst als Willen zur Macht anerkennen und dadurch als Moral aufheben. Insofern nach Nietzsche die Philosophie mit ihrem Wahrheits-Pathos selbst diese Moral darstellt, ist es notwendig, sie von derjenigen moralischen Interpretation der Phänomene zu befreien, die zu ihrer *eigenen Logik* geworden ist. Dies ist die Aufgabe einer „fröhlichen Wissenschaft", die sich im Vergleich zu den „wahren" Wissenschaften, welche sich moralisch aus der Logik als der „Wissenschaft des Wahren" begründen, wesentlich als ein interpretatives Wissen begreift. Logik als Moral besagt in dieser Hinsicht: „[...] die Welt der Phänomene ist die zurechtgemachte Welt, die wir *als real empfinden*. Die ‚Realität' liegt in dem beständigen Wiederkommen gleicher, bekannter, verwandter Dinge, in ihrem *logisierten Charakter*, im Glauben, dass wir hier rechnen, berechnen können. [...] [D]er Gegensatz [zu] dieser Phänomenal-Welt ist *nicht* ‚die wahre Welt', sondern die formlos-unformulierbare Welt des Sensationen-Chaos – also *eine andere Art* Phänomenal-Welt, eine für uns ‚unerkennbare'...".[49]

Zunächst fällt es uns schwer, Logik und Moral miteinander zu verbinden und vom moralischen Grund der Logik zu sprechen. Doch gerade unter dem selbstverständlichen Vorrang der „Logik" in der Sache des Denkens, verlangt man von der Philosophie heute heftiger als je zuvor, Ethik und Moral ‚zur Verfügung zu stellen' bzw. ‚zu liefern'.[50] Die Voraussetzungen dieser Anforderung werden nicht hinter-

---

[48] KSA 5, S. 92. In *Götzendämmerung* gibt Nietzsche noch eine weitere Erklärung für die moralischen Phänomene: „Moral ist nur eine Ausdeutung gewisser Phänomene, bestimmter geredet, eine Missdeutung. Das moralische Urtheil gehört, wie das religiöse, einer Stufe der Unwissenheit zu, auf der selbst der Begriff des Realen, die Unterscheidung des Realen und Imaginären noch fehlt: so dass ‚Wahrheit' auf solcher Stufe lauter Dinge bezeichnet, die wir heute ‚Einbildungen' nennen. Das moralische Urtheil ist insofern nie wörtlich zu nehmen: als solches enthält es immer nur Widersinn. Aber es bleibt als *Semiotik* unschätzbar: es offenbart, für den Wissenden wenigstens, die werthvollsten Realitäten von Culturen und Innerlichkeiten, die nicht genug *wussten*, um sich selbst zu ‚verstehen'. Moral ist bloss Zeichenrede, bloss Symptomatologie: man muß bereits wissen, *worum* sich handelt, um von ihr Nutzen zu ziehen." (KSA 6, S. 98)

[49] KSA 12, S. 396.

[50] „Wir modernen Menschen sind so sehr an die Nothdurft der Logik gewöhnt und zu ihr erzogen, das sie uns als der normale Geschmack auf der Zunge liegt und als solche den Lüsternen und Dünkelhaften zuwider sein muss." (KSA 3, S. 315) Dazu Günter Figal, *Nietzsche. Eine philosophische Einführung*, Stuttgart 1999, 154 ff.

fragt. Man geht vielmehr davon aus, daß die Zeit selbst diese Anforderungen stellt. So nimmt man auch „logisch" an, daß das Bereitstellen einer Ethik die Problemlage unserer Zeit zu klären und zu lösen vermag. Diese Anforderungen schwächen den Geist der gegenwärtigen Philosophie und verwandeln die Krisis der Modernität in eine Hypokrisie ihres eigenen Sinnes.

Dabei handelt es sich nicht um irgendeinen Geist, schon gar nicht um modischen Intellektualismus, sondern um die Grund-lage, die das Europäische geistesgeschichtlich bestimmt hat und die anfänglich im *Wort aller griechischen Wörter* zusammengefaßt wurde. Was damals als *logos* (*legein - legen*) aufging, zerrinnt seither in Bestimmungen wie Aussage, Rechnung, Urteil, Vernünftigkeit, Wissenschaft, Subjekt, Symbol, Gültigkeit, Funktion. Zusammengenommen nennen wir diese Bestimmungen *Logik*. Wir verfügen jedoch über keine angemessene „Definition" der Logik. Sie grenzt ihren Wirkungsbereich nicht bloß auf dem Gebiet der Wissenschaft ab, die ihre logischen und logistischen Voraussetzungen schon längst nicht mehr hinterfragt. Auch im Alltag wird von jedem Einzelnen erwartet, daß er *logisch* handle. Diese Forderung nach dem Logischen wird auch dort gestellt, wo man vermeintlich etwas anderes sucht – alternative Wissenschaften und Kulturen, östliche Philosophien und Praktiken, aber auch in der postmodernen Kritik des Logozentrismus. Das Kapital der Logik scheint sogar stärker zu sein als die Logik des Kapitals. Aber je mehr die Logik die allgemeinste und individuellste Moral des globalen Funktionierens unserer Welt darstellt, desto mehr vermissen wir die *Wahrheit*, desto durchgreifender macht sich die Nihilisierung der Welt geltend.

Wenn wir einsehen, daß am Anfang der Philosophie nicht der Übergang vom Mythos zum Logos (sie bedeuten dasselbe) die Selbstinterpretation der Philosophie und des europäischen Geistes bestimmt hat, sondern der Übergang *vom Logos zur Logik*, dann fällt es uns umso leichter nachzuvollziehen, daß es sich bei so unterschiedlichen modernen Philosophen wie Nietzsche und Husserl um denselben Versuch einer Überwindung der Krisis dieses Geistes handelt. Das *Logische* stellte das Hauptthema ihrer kritischen Erörterungen dar, und beide versuchten, das Weltphänomen aufs neue und vor-logisch zu interpretieren. Mit Recht hat sich Rudolf Boehm – der Autor einer der wenigen Aufsätze, die die Position von Husserl und Nietzsche zusammenzubringen versuchen – gewundert, daß sich niemand mit der Übereinstimmung der Husserlschen Kritik des Rationalismus in der *Krisis* und der von Nietzsche in der *Götzendämmerung* näher befaßte. [51]

Nietzsches Entlarvung des *moralischen Charakters aller Logik* ist innerhalb der Philosophie gewiß revolutionär. Nicht so sehr die Kritik der Moral an sich, sondern die Kritik des moralischen Charakters aller Logik stellt den Bruch und Widerstreit dar, den Nietzsche in die Gegenwartsphilosophie gelegt hat. Das Verb „legen" ist hier angemessen, da es den *interpretativen* Zug dieses Bruchs im Bereich der Logik anzeigt, d. h. in der Logifizierung des Wahrheitsbezuges, der als solcher für das europäische Menschentum bestimmend ist. Mit der Moralisierung dieses Bezuges beginnt die Herrschaft der Logik. So ist die Frage nach der Herkunft der Moral zugleich als die Frage nach dem Ursprung der Logik zu verstehen.

---

[51] Rudolf Boehm, „Husserl und Nietzsche", in: *Vom Gesichtspunkt der Phänomenologie*, Den Haag, 1968, S. 210-227.

Was nach Nietzsche die Verbindung zwischen Moral und Logik am direktesten anzeigt, ist der *Glaube an die Wahrheit* (wobei nach Nietzsche die Logik nicht aus dem Wahrheitsglauben stammt), der sich selbst nicht als Glaube wahr-nimmt, sondern als etwas an sich selbst Gültiges. Dieses An-sich-Gelten charakterisiert das Logische wie das Moralische. Was Moralität ist, versteht Nietzsche zunächst aus dem, was das lateinische Wort *mores*, „Sitte", „Gewohnheit", „Brauch", ursprünglich besagt, und was wiederum auf das griechische *ethos* zurückweist. Wenn wir dieses Wort mit „Lebenshaltung" oder „Lebensstandpunkt" erläutern, ist das zu kurz und zu karg. Es handelt sich vielmehr um die *Natur des Menschlichen* überhaupt, die seiner Sittlichkeit und Kultur erst Bestimmtheit verleiht. Was das Leben angeht, ist der Mensch nicht in die Natur, sondern in das Ent-bergen der Natur gestellt. Dies haben die Griechen *aletheia* genannt. Platon hat in ihr den Gang der Götter gesehen. Im *Phaidros* erzählt er, daß nur die Seelen, die die Wahrheit gesehen haben (*idousa ten aletheian*), sich in Menschen niederlassen können. Die Fähigkeit des Menschen, das Unverborgene zu sehen, erläutert Platon an derselben Stelle im Sinne einer „logischen" bzw. „begrifflichen" Fähigkeit: *dei gar anthropon synienai kai' eidos legomenon, ek polon ion aistheseon eis en logismo ksinairoumenon.* „Denn der Mensch muß nach Gattungen Ausgedrücktes begreifen, welches als Eines hervorgeht aus vielen durch den Verstand zusammengefassten Wahrnehmungen." (*Phaidros* 249b-c) Vielleicht bietet sich hier ein Ansatz für die oben hervorgehobene Überlegung des Übergangs vom Logos zur Logik, der mit der Fähigkeit des Erkennens der *aletheia* verbunden ist. Die Idee des Guten, die das Wesen der Idee überhaupt ausdrückt, ist dadurch ausgezeichnet, daß sie die Identität des Sehens und des Gesehenen, d. h. den Wahrheitsbezug ermöglicht. [52] Daß die Idee des Guten später – und in gewisser Weise schon bei Platon selbst – moralisch interpretiert wurde, bekräftigt sicher die Frage nach der moralischen Interpretation der Phänomene, die sich in der Funktion der logischen Gültigkeit der Wahrheit setzt.

Der moralische Charakter der Logik springt in die Augen, wenn wir uns fragen, woher ihre Wahrheitsvoraussetzung stammt, wenn sie nicht identisch mit ihrer Gültigkeitssetzung sein soll. Auch wenn die Wahrheit als ein leerer Wert auftritt, bleibt sie noch immer ein Wert, der von irgendwoher genommen und irgendwo geltend gemacht wird. Seine Geltung muß als solche erst als (allgemein) gültig behauptet werden. Edmund Husserl stellte in den *Logischen Untersuchungen* die „bedeutungsverleihenden Akte" als die Grundlage für die Bildung der logischen Entitäten heraus, die ideell an sich gelten. Diese Gültigkeit kommt erst durch die Anschauung zur Erfüllung. Die Anschauung braucht ihren Horizont, was Husserl zunächst zu der transzendentalen Wende der Phänomenologie und dann zur Lebensweltproblematik führte. Der Begriff der Lebenswelt zeigt wohl, um welchen Horizont es sich hier handelt – es geht um das Leben, das sich öffnet bzw. das in die Welt geöffnet ist, was Heidegger später als die existenziale Verfassung des In-der-Welt-seins herausstellen sollte. In der erwähnten Vorlesung aus dem Jahre 1929/30 *Die Grundbegriffe der Metaphysik. Welt–Endlichkeit–Einsamkeit* versuchte Heidegger vom Verlassen des Husserlschen Weges her zu zeigen, inwiefern die vorprädikative Weltoffenheit die Basis aller logischen Evidenzen bildet, die nicht weiter logifizierbar ist. Sie bleibt eine offene

---

[52] Weitere Überlegungen Heideggers dazu finden wir in *Platons Lehre von der Wahrheit.*

Frage unserer Existenz. Die Evidenz der Welt ist so eine Sache der Interpretation und keine fertige Realität, wie zunächst und zumeist vorausgesetzt wird.

So scheint, daß die Entlarvung des moralischen Charakters der Logik bei Nietzsche im Grunde das trifft, was Husserl in den *Ideen für die reine Phänomenologie und phänomenologische Philosophie* als die Generalthese unserer natürlichen Einstellung formulierte, d. h. als die Gewißheit, daß die Welt für mich *da* ist, welche kein weltliches Bewußtsein zu annullieren vermag, und was demzufolge auch in dem Sinne etwas Vor-bewußtes darstellt, als es ausdrücklich vor das Bewußtsein gebracht werden kann. Dies ermöglicht die phänomenologische Methode der Epoché, die jedes mögliche Urteil über die Welt blockiert bzw. die Seinsidentität der Welt als solche *einklammert*. Der Vorwurf, daß mit der Einführung der phänomenologischen Epoché die Weltexistenz geleugnet werde, ist für Husserl lächerlich. Die Weltexistenz wird generell gerade in der Ontologie geleugnet, insofern sie „naiv", Nietzsche würde sagen „moralisch", das Sein behauptet. Was Husserl destruiert, ist der die Welt verneinende und deswegen nihilistische Grund der Logik, die schon immer, wie gerade Nietzsche bloßgestellt hat, mit der Seinsidentität einer Welt rechnet.

Das Sein wird in die Logik als der Grund übernommen, der keiner weiteren Begründung bedarf. Das Sein stellt für die Logik etwas mit sich selbst Identisches dar. Durch die phänomenologische Epoché zeigt sich, daß dieses Identische schon immer ein Korrelat des identifizierenden-interpretativen Bewußtseins ist. Bei Nietzsche finden wir kein der phänomenologischen Epoché ähnliches methodisches Verfahren. Auf der anderen Seite entsteht jedoch die Frage, ob die phänomenologische Epoché überhaupt eine Methode darstellt, wie sie die Wissenschaften kennen, und ob sie nicht gerade jedes methodische Verfahren blockiert, das sich durch jenen moralischen Grund der Logik begründet, mit dem Nietzsche sich auseinandergesetzt hat. Ein methodisches Bewußtsein ist nur aufgrund des logischen Wissens möglich. Eine wissenschaftliche Methode kann den logischen Grundsätzen nicht widersprechen, denn sonst würden wir aus ihr *nichts* folgern können. Wenn wir die der Logik widersprechende Wirkung der Epoché in Betracht ziehen, dann fängt die phänomenologisch konstitutive Interpretation der Welt mit dem Ausschluß des methodischen Verfahrens an, welches die Möglichkeit (den Weg) der Erfahrung als solchen erschließt.

Die phänomenologische Möglichkeit der freien Interpretation ist in ihrem Wesen epochal, d. h. sie ist geschichtlich in dem Sinne, daß sie der natürlichen Einstellung zur Welt entspringt, als ein solcher Sprung aber in ihr nicht stecken bleibt. Es handelt sich um eine Über-setzung der Welterfahrung, die diese Erfahrung als ein konstitutives Geschehen enthüllt. Wenn die Welt ein starres Korrelat unserer natürlichen Erfahrung bleibt, dann ist dies – aus dem konstitutiven Spielraum gesehen – philosophisch *naiv*, weil damit die Dynamik des Weltgeschehens *übersehen* wird, und das heißt die *Interpretation*, die der Welterfahrung selbst inhärent ist. Dieses Übersehen kennzeichnet die Logik wesentlich, insofern die Logik – dem Grundsatz der Seinsidentität folgend – eine schon vereinheitlichte Welterfahrung voraussetzen soll.

So bemerkt Nietzsche zum Satz des Widerspruchs: „Wenn nach Aristoteles der *Satz des Widerspruchs* der gewisseste aller Grundsätze ist, wenn er der letzte und unterste ist, auf den alle Beweisführung(en) zurückgehn, wenn in ihm das Prinzip aller anderen Axiome liegt: um so strenger sollte man erwägen, was er im Grunde schon an Behauptungen *voraussetzt*. Entweder wird mit ihm etwas in Betreff des Wirklichen, Seienden behauptet, wie als ob er dasselbe anderswoher bereits kennte: nämlich dass ihm nicht entgegengesetzte Prädikate zugesprochen werden *können*. Oder der Satz will sagen: dass ihm entgegengesetzte Prädikate nicht zugesprochen werden *sollen*? Dann wäre Logik ein Imperativ, *nicht* zur Erkenntnis des Wahren, sondern zur Setzung und Zurechtmachung einer Welt, *die uns wahr heißen soll.*" [53]

Das Sollen fällt offensichtlich in den Bereich der Moral, nicht in den Bereich der Logik. Woraus entspringt jedoch der logische Imperativ der Moral, daß man der Sagbarkeit der Welt nicht widersprechen soll und darf, der den Imperialismus der Logik in aller sprachlichen Welterfahrung ermöglicht? In einem Fragment mit dem Titel „Zur logischen Scheinbarkeit" gibt Nietzsche folgende Interpretation des Imperativs: „Unsre subjektive Nöthigung, an die Logik zu glauben, drückt nur aus, dass wir, längst bevor uns die Logik selber zum Bewusstsein kam, nichts gethan haben *als ihre Postulate in das Geschehen* hineinlegen: jetzt finden wir sie in dem Geschehen vor – wir können nicht mehr anders – und vermeinen nun diese Nöthigung verbürge etwas über die ‚Wahrheit'. Wir sind es, die ‚Ding', das ‚gleiche Ding', das Subjekt, das Prädikat, das Thun, das Objekt, die Substanz, die Form geschaffen haben, nachdem wir das Gleich*machen*, das Grob- und Einfach*machen* am längsten getrieben haben. Die Welt *erscheint* uns logisch, weil *wir* sie erst logisiert *haben*." [54]

Was uns logisch be-gründet als das Wahre gilt, muß im voraus vereinheitlicht und vereinfacht werden. Der Schein des Werdens mußte zunächst zur Erscheinung werden, damit etwas überhaupt die Bedeutung von etwas haben kann. Nur so kann etwas aus etwas folgen und logisch „scheinen", wobei der werdende Charakter des Scheins zugunsten der logischen Grund-setzung annulliert wird. Die nihilisierende Tendenz der Logik faßt Nietzsche in folgende Feststellung zusammen: „Die logische Weltverneinung und Nihilisierung folgt daraus, daß wir Sein dem Nichtsein entgegensetzen müssen, und daß der Begriff ‚Werden' geleugnet wird (‚etwas wird')…". [55]

Diese Feststellung Nietzsches könnte als umgewendeter Grund-Satz der Logik *nihil est sine ratione* verstanden werden. Nichts ist ohne Grund. Dieser Grund-Satz ist zugleich ein ontologischer oder noch besser metaphysischer Grundsatz. Er drückt klar aus, daß die Rechtfertigung des Daseins auch die Berechtigung des Daseins verbürgt. Woraus beanspruchen wir dieses Recht, mit welchem Recht der Interpretation? Bekanntlich ist für Nietzsche das Wort „Gerechtigkeit" ein Ausdruck des Willens zur Macht, welcher der Unschuld des Daseins und der Abgründigkeit der Welt gerecht werden muß. Jedes logische Urteil ist nach dieser Gerechtigkeit bereits eine Ver-urteilung des Daseins im Ganzen, des Werdens. Dieses Grundvorurteil der Logik soll die Macht der Interpretation perspektivisch öffnen. Was in der Logik *formalisiert* wird, wird durch die Interpretation im Grunde stets aufs Neue *formiert*. Die Interpretation bekräftigt den Wert des Werdens, ohne ihm des Charakters des Scheins zu nehmen:

„Daß der *Werth der Welt* in unserer Interpretation liegt (– daß vielleicht irgendwo noch andere Interpretationen möglich sind als bloß menschliche –) daß die

---

[53] KSA 12, S. 389.
[54] KSA 12, S. 418.
[55] KSA 12, S. 368.

bisherigen Interpretationen perspektivische Schätzungen sind, vermöge deren wir uns im Leben, das heißt im Willen zur Macht, zum Wachstum der Macht erhalten, daß jede *Erhöhung des Menschen* die Überwindung engerer Interpretationen mit sich bringt, daß jede erreichte Verstärkung und Machterweiterung neue Perspektiven aufthut und an neue Horizonte glauben heißt – dies geht durch meine Schriften. Die Welt, die *uns etwas angeht,* ist falsch, d. h. ist kein Thatbestand, sondern eine Ausdichtung und Rundung über einer mageren Summe von Beobachtungen; sie ist ‚im Flusse‘, als etwas Werdendes, als eine sich immer neu verschiebende Falschheit, die sich niemals der Wahrheit nähert; denn – es giebt keine Wahrheit‘.“ [56]

Der „interpretative Charakter des Daseins“, den Nietzsche befiehlt, impliziert eine *Fraglichkeit,* auf die wir nicht bloß durch das Anführen von Gründen antworten, sondern aus unserer grundlosen Existenz, aus der eigenen Freiheit heraus. An dieser Stelle bahnt Nietzsche den Weg für die Seinsfrage Heideggers, wie Gadamer betonte, die nicht mehr aus dem Begründungsbereich der Logik stammen und keinen „Seinsbegriff“ erklären will. Die Seinsfrage wird aus der Existenz selbst in die offene Weite der Welt entfaltet. Die Welt wird nicht mehr von der Einheit des Seinsbegriffes, sondern aus der Geworfenheit in das Entwerfen von Sein aufgefaßt, was unseren Glauben an die Wahrheit wesentlich verändert, insofern sie nun „unzählige Interpretationen in sich trägt“. [57] Diese Tragweite der Interpretation wird für den Menschen unerträglich und unheimlich, weil sie ihn *in die Zukunft wirft.* Die gegenseitige Angewiesenheit von „Werden“ und „Werten“ spricht hier sozusagen von selbst. Beide Wörter sind wahrscheinlich auch etymologisch verwandt. „Werden“ bedeutet eigentlich „sich drehen, wenden“ (lat. *vertere,* slov. *vrteti*). „Wert“ soll ursprünglich die Bedeutung von „gegen etwas gewendet“, „einen Gegenwert besitzen“ haben. Dieselbe Herkunft hat das Wort „werfen“. Die Gegenwendigkeit im Welt-Spiel, das „Sein und Schein mischt“, bedeutet, daß alles, was ins Werden geworfen ist, den Wert werfen muß, um überhaupt etwas zu werden. Damit wendet sich die Frage nach dem Sein für den Menschen, was ihn als Krise nötigt, d. h. der menschliche Bezug zur Wahrheit wird not-wendig frag-würdig.

Pavel Kouba hat diesbezüglich in seinem interessanten Text *Nietzsches unmoralische Ontologie* folgende kritische Frage aufgeworfen: „Nietzsches These über das Sein, die den interpretativen Charakter nicht nur dem menschlichen Sein, sondern dem Sein überhaupt zuspricht, ist zweifelfrei befremdlich. Haben wir nicht schon mit Heidegger geklärt, dass interpretierend nur das menschliche, daseinsmäßige Seiende ist, und zwar im Unterschied zu dem Zuhandenen und Vorhandenen? Und hat uns nicht Gadamer eingeprägt, verstehendes Sein sei wesentlich sprachlich und geschichtlich? Und dennoch, in gewissem Sinn sieht es so aus, als ob Nietzsche, das Sein aus der Interpretation zu verstehen suchend, Heidegger beim Wort nähme.“ [58] Eine solche kritische Beobachtung setzt voraus, daß der interpretative Charakter des Daseins schon die Antwort auf die Krise des europäischen Menschentums in sich

---

[56] KSA 12, S. 114

[57] KSA 3, S. 627.

[58] Pavel Kouba, „Nietzsches unmoralische Ontologie“, in: G. Figal, J. Grondin, D. J. Schmidt, *Hermeneutische Wege*, Hans Georg Gadamer zum Hundertsten, Tübingen 2000, S. 254.

birgt, das seinen Bezug zur Wahrheit moralisch als einen Vorzug im Verhältnis zu allem anderen Seienden deutet. Nach unserer These jedoch bringt uns gerade die Aufdeckung des „interpretativen Seins" in die Krise, insofern unser Bezug zur Wahrheit in Frage gestellt wird. Dieses In-Frage-Gestelltsein bedeutet als *Be-zug* nicht nur eine Interpretationsweise des Seins unter anderen, sondern *die Einbezogenheit*, in seiner eigenen Existenz vor die Frage nach dem Sein selbst gestellt zu sein. Es handelt sich nicht um eine „spezielle" geschichtliche und sprachliche Möglichkeit der Interpretation (welche die Macht des Lebendigen im allgemeinen ausmacht), sondern um das Geschehen der Sprache in der Entsprechung zum Seinsgeschick.

In *diesem* Sinne stoßen Phänomenologie und Hermeneutik in ihrem Gespräch mit Nietzsche auf die *zurück*gehende – weil uns als *Zu*-kunft angehende – spezifische Frage unserer Epoche, die die Produktion der Wissenschaft als ihren obersten Wert proklamiert, ohne jedoch imstande zu sein, zu einem Wissen über sich selbst zu gelangen.

Erfahrung der Kunst – Kunst als Erfahrung

Für die Philosophie ist es heute keine leichte Aufgabe, über das Kunstwerk bzw. über die wesentliche Anwesenheit der Kunst zu sprechen. Es stellt sich dabei die Frage, ob und inwieweit das überhaupt möglich ist. Es gilt – sowohl seitens der Kunst als auch seitens der Philosophie – diese Möglichkeit selbst *als mögliche* hinterzufragen. Die Schwierigkeit der Frage liegt nicht nur darin, dass die zeitgenössische Ästhetik und Kunsttheorie im Grunde durch das Bemühen um eine Abgrenzung von überlieferten philosophischen Auffassungen der Kunst gekennzeichnet sind. Über die Angemessenheit und Reichweite solcher Abgrenzungen ließe sich über kurz und lang diskutieren. Das Gewicht der Frage steckt vielmehr im gegenwärtigen *Prozess* der künstlerischen Produktion und dadurch bedingter *Anwesenheit* von Kunstwerken. Kurz: Kunstwerke werden heute *prozessiert*, um auf diese Art und Weise der *Produkte produziert* und *konsumiert* zu werden. Das künstlerische Schaffen ist etwas geworden, was streng genommen *weniger* als Produktion ist, und das Kunstwerk ist etwas geworden, was *weniger* als ein *Produkt* ist. Es stimmt zwar, dass hinsichtlich der Kunst seit eh und je nicht gewusst wurde, ob sie unterhalb der Realität rangiert oder doch über diese erhaben ist, ob der künstlerische Schein eine bloße Verschönerung der Realität ist oder eine höhere – um nicht zu sagen göttliche – Wirklichkeit darstellt. Aber das waren Zeiten, als die *Schönheit* noch als eine *natürliche Art* der Anwesenheit des Kunstwerkes betrachtet und die Kunst selbst an der Nachahmung der *Natur* gemessen wurde. Die Kunst hatte sich insbesondere bei den alten Griechen in ihrer Identität mit der Natur bzw. *physis* ausgewiesen und bewiesen, woran ursprünglich *poiesis – Herstellen, Hervorbringen –* anknüpft.

Das sind richtige und zugleich falsche Übersetzungen für »*poiesis*« – Herstellen und Hervorbringen werden nämlich heute fast ausschließlich mit vielfältigen Weisen der *Produktion der Natur* und nicht mit der Natur selbst in Verbindung gebracht, wie das im Falle der griechischen *physis* geschah. Es ist nicht etwas, was als Natur hervorgeht und aufkommt, sondern das, was mit der in das Produktionsmaterial umgewandelten Natur getan wird. In diesem Sinne wird die Natur von der Kunst entfernt bzw. von ihr ausgenommen. Dieses Ausnehmen der Natur von der Kunst bietet sich als der wichtigste und zudem auch als ein immer mehr ausschließender Maßstab der »schöpferischen Produktion« an. Die Kunst, mag sie in uns noch so viel »Bewunderung«, »Faszinierung«, »Genuss«, ja, vor allem *verzehrenden Genuss* erwecken, wird somit nicht mehr als etwas maßgebend Wesentliches betrachtet, als etwas, wodurch uns zu sein gegeben ist, sondern als etwas, was bis zu seiner Wesenlosigkeit *ausgestellt*, installiert wird, als eine durch uns und für unsere Bedürfnisse *herausgeforderte* und nicht von der Kunst *herrührende* Zurschaustellung. Auch da, wo sich die Kunst durch bewusste Rückkehr und Hinwendung zur Ursprünglichkeit ihrer Zurschaustellung und Beraubung ihres Wesens widersetzt, rutscht die Rede von der Kunst gewissermaßen automatisch in die Sphäre eines »kritischen gesellschaftlichen Wirkens«, einer »Kulturrolle«, eines »Kommunikationswertes«, des »Symbolhaften«, »Metaästhetischen« usw. hinein. Philosophisch betrachtet bleibt die Kunst damit in ihrer wesentlichen Anwesenheit und ihrem Ursprung entzogen und missverstanden.

Das alles wirft die Frage auf, wie es mit der *Erfahrung* der Kunst steht, wenn bedacht wird, dass die Kunst selbst schon eine *Erfahrung* oder vielmehr *die* grundlegende

Erfahrung ist, was durch das slowenische Wort »*umetnost*«, oder das deutsche »Kunst« und das russische »iskustvo« sowie freilich durch das lateinische Wort »ars« und das griechische »*techne*« angedeutet wird. Wenn aber heute versucht wird, die Erfahrung der Kunst zu erfahren, dann gibt es fast nichts zu sagen. Es fallen uns dabei zunächst die Bezeichnungen wie »Abstraktion«, »Konkretismus«, »ready made«, »Konzeptualismus« usw. ein. Und dieses »Und-so-weiter« ist in der Tat die einzige Bezeichnung, die für alle diese Reste übrig bleibt.

Es scheint hier von Bedeutung, Folgendes hervorzuheben: *heute vermag weder die Kunst noch die Philosophie die Anforderung nach der Echtheit der Erfahrung zu erfüllen.* Diese ist sowohl mit der Wirklichkeit der Erfahrung als auch mit der Erfahrung der Wahrheit verbunden – in der Kunst des 20. Jahrhunderts gibt es Werke, welche die Wirklichkeit der Erfahrung durch die Erfahrung der Wahrheit ausweisen, sowie Werke, welche die Erfahrung der Wahrheit durch die Unwirklichkeit der Erfahrung beweisen. Bereits in den ältesten Überlegungen zur Kunst, etwa bei Hesiod, ist die Rede davon, dass die Kunst eine Lüge sei und dass sie nur hie und da auch die Wahrheit sage. Auch die Hegelschen Überlegungen zur Kunst innerhalb der Philosophie finden ihren Gipfelpunkt im Gedanken, dass die Kunst für uns nicht länger als Repräsentantin der Wahrheit gelten könne. Aber auch diese schon häufiger erörterten und trotzdem in ihrer wesentlichen Erfahrung noch nicht genügend berücksichtigten Überlegungen vermögen die gegenwärtige, von der Kunst mit der Philosophie geteilten Problematik einer echten Erfahrung nicht zu erfassen.

Es kann dabei wohl nicht übersehen werden, das die philosophische Reflexion über die Kunst seit Baumgarten eine philosophische Teildisziplin ist, die den Namen Ästhetik trägt und auf eine Anwesenheit der Erfahrung, nämlich auf *aisthesis*, sinnliche Wahrnehmung hinweist. Durch die letztere sei die Echtheit im Sinne eines *unmittelbaren* Auffassens verbürgt. Es ist aber offensichtlich, dass die Kunst im Bezug auf das Schaffen und die Rezeption nur teilweise zur Sphäre des Unmittelbaren gehört. Die Kunst stellt-dar »als ob …«, d.h. sie vermittelt das Unmittelbare wie einen Schein. Roman Ingarden spricht in diesem Zusammenhang von der »Quasirealität« und der slowenische Phänomenologe France Veber von der »irrealen Gestalt«. Die Kunst wird als Schein der Realität erlebt und darin liegt auch die Voraussetzung dafür, dass sie überhaupt erlebt werden kann. Dieses Erleben soll unmittelbar und als solches eine »Sache des Geschmacks« sein, aber an sich ist es schon dadurch vermittelt, was einem als ein »Als-ob« erscheint. Dieses »Als-ob«-Erscheinen ist das innere Korrelat des Scheins. Die Korrelation von *Erscheinen und Schein* ist Indikator der *Echtheit* der ästhetischen Erfahrung, die aber mit Bezug auf die unmittelbare Erfahrung der Wahrnehmung schon immer eine vermittelte ist. Die Folge ist, dass sich das Kunstwerk in Hinsicht auf seine wesentliche Anwesenheit entzieht und selbst unecht wird – ihre Erfahrung ist »bloß« eine Sache des Geschmacks. Dieser Entzug hängt vor allem mit der Qualität der *Schönheit* des Kunstwerks zusammen, die nach der oben erwähnten ästhetischen Korrelation von Erscheinen und Schein als Verbindung der beiden begriffen wird, und nicht als das, was das Kunstwerk selbst fügt, wie die *Herrlichkeit* in der altgriechischen Kunst gedeutet wurde.

Solange die Kunst *feierte*, wurden keine Fragen nach ihrem Bestehen gestellt. Als sie zu feiern aufhörte und nur noch zu bestehen begann, wurde künstlerische Erfahrung mit Gefühlen und Gegenständen in Verbindung gebracht. Unterschiedlichen Formen von Empfindung, Erlebnis, Kontemplation, Abbildung, Typisierung, Bekenntnis, die in die ästhetische Funktion der Gestaltung von Schönheit durch das Verbinden von Erscheinen und Schein Eingang finden, werden heute allerdings eine echte künstlerische Erfahrung und ein echtes Bestreben zu einer solchen Erfahrung aberkannt. *Aber diese Destruktion erstreckt sich bis hin zum Verzicht auf das Künstlerische.* Ist das eine besonders echte Erfahrung der Unechtheit und als solche auch selbst unecht? Ist das nur ein *Nervenreiz,* wie es bereits von Nietzsche wohl als erstem und verbindlich festgestellt wurde? [59]

Nicht nur die Kunst, sondern jedes Handeln verläuft heute »über die Nerven«. Es ist im Grunde oder eben in seiner Grundlosigkeit hinsichtlich der Erreichung der Echtheit *nervös.* Man erlebt nicht, man genießt nicht, sondern *lebt* sich tatsächlich *aus.* Worüber? Über die Möglichkeit einer echten Erfahrung, über die Möglichkeit einer echten Wirklichkeit. Das *Aus-leben* bedeutet also hier Herausgeworfenheit aus dem Leben mit dem Ziel, diesem möglichst viel und immer mehr zu *entlocken.* Der erste Indikator dieses Zustandes ist eine allgegenwärtige *Ästhetisierung* von Lebensformen, die am intensivsten von der Medienindustrie diktiert wird. Wenn oben die neuzeitliche Umwandlung des Ästhetischen erwähnt worden ist, die in seinem erkenntnistheoretischen Verstehen und zugleich auch im nicht aufgeklärten ontologischen Erfassen des Kunstwerkes entworfen wird, dann zeigt sich nun, im »postmodernen Zustand«, eine weitere und wohl vollendete Umwandlung des Ästhetischen. Die *Welt* wird *attraktiv gemacht, um dem* von den Nerven gesteuerten *Leben möglichst viel zu entlocken.* Die Nerven werden dabei nicht in ihrer gewöhnlichen physiologischen Funktion behandelt; mit neuen sensitiven Empfängern, die sie in Form unterschiedlichster »Additive« anbieten, verändern sie vor allem die Physiologie. Es genügt schon ein Katalog der Medizinindustrie aufzuschlagen, um einzusehen, wohin wir mit unserer Physiologie gelangt sind – unsere Körperlichkeit ist in einen Bereich von Sensationen verortet, der nicht auf unseren wahrnehmbaren Bereich beschränkt ist, sondern diesen gleichsam unabhängig von unserem Willen in die Funktion der Machtgewinnung setzt. Diese Machtgewinnung wird als *Virtualisierung* bezeichnet – ohne dass man sich überhaupt im Klaren darüber wäre, worum es sich in der Tat handelt, denn es wirkt hier noch immer die Vorstellung des Subjekts, das die Kohärenz des Vorstellungsfeldes – als *Virtualisierung* – rückwirkend sicherstellen soll. Aber das Subjekt ist virtuell schon immer projektiert; es ist eigentlich *Projektil* geworden.

Das ist nirgends besser ersichtlich als da, wo versucht wird, die *Echtheit* durch das »etwas aus dem Leben herausgewinnen« zu *erzwingen.* Die Phänomenologie dieser Modi von Erzwingung der Echtheit ist selbst so faszinierend und megalomanisch, dass sie sich in keine der Kulturwissenschaften einordnen lässt, denn sie geht über jede Wissenschaft und jede Kultur hinaus und hat sich dazu auch der Möglichkeit der Kunst selbst bemächtigt. „In welchem Maße?" lautet nun die Frage, die für den Versuch einer Reflexion über die Kunst maßgebend ist. Was heute als Kunst erklärt und ausgestellt werden kann, ist bereits gestimmt und in ein Netz der Verfahren hineingestellt, deren alleiniges Ziel die *Erzwingung der Echtheit* ist.

Es ist gar keine Besonderheit, etwa den Tsunami, den 11. September, die Vogelgrippe, die Street Rave Parade, ein Atom-U-Boot-Unfall, das Massaker in Ruanda, den Orkan Rita, die Landung auf dem Mars, die Kopftransplantation oder langweilige wis-

---

[59] Vgl. dazu Friedrich Nietzsche, »Ueber Wahrheit und Lüge im aussermoralischen Sinne«, KSA 1, Berlin/New York 1988, S. 882.

senschaftliche Beratungen über verschiedene Aspekte der Kunst und Philosophie, die Modenschau, den Fahrradmarathon, Fernsehserien und Unterhaltungssendungen oder mehr oder weniger erhebliche wissenschaftliche Entdeckungen und technologische Erfindungen, die gesamte Mobiltelefonie, Reisedestinationen sowie Klimaänderung, die Umweltverschmutzung, politische Skandale usw. zum künstlerischen Ereignis zu erklären. Es ist auch nicht ungewöhnlich, dass all das zu einem künstlerischen Ereignis umgewandelt werden kann, dass die Kunst *gezwungen* ist, nach ihrer eigenen Echtheit in diesen Bereichen der *Erzwingung von Echtheit* zu suchen, und dass die *Macht dieser Erzwingung* ihre *Freiheit* unmöglich macht.

Es geht nicht um die künstlerische Freiheit, die sich ein Künstler gönnt oder nicht, sondern um das, was als Bereich der Freiheit und der Befreiung, der heute in der wesentlichen Formlosigkeit wieder die unmöglichsten *Umformungen* annimmt, eingerichtet wird. In dieser Formlosigkeit wird die gesamte Kunst ausnahmslos für demokratisch erklärt. Ihre spezifische Freiheit versteht sie als *unspezifische* Freiheit des Informationsaustauschs, freien Wettbewerb, soziale Kritik, kulturelle Bereicherung, Wahrung nationaler und individueller Identität. Ihre besondere Echtheit sucht sie nachträglich in der Erzwingung der Besonderheit. Man hört so während der Aufführung eines Konzertstücks den Klang einer Motorsäge oder man wird durch die das ausgestellte Gemälde einrahmenden Blinkleuchten auf dessen Relevanz hingewiesen. Diese Erzwingung der Besonderheit erweist sich ferner auch in unglaublicher Vergewaltigung der Künstlerperson, wenn einen z.B. Mozart von Pralinen oder Kafka von T-Shirts anguckt. Die Architektur nimmt die Räume der Öffentlichkeit ein und die Filmkunst bemächtigt sich immer mehr auch der intimen Sphäre. Es verbleiben nur noch »Straße und Beton«, auf die man sich nackt hinlegen kann und das Eingreifen der Ordnungsbehörde abwartet. Es ist aber dabei interessant, dass die moralische Anwendung der Kunst bei dieser populären Verwendbarkeit unberührt bleibt.

Die Erzwingung der Besonderheit bereichert sich ebenso durch verschiedene Formen der Entpersönlichung, durch Wahnsinn, Depression, Panik, soziale Ausgrenzung, Esoterik, Adrenalinsporte, kollektive Unterhaltungen, Abmagerungskuren. Überall gibt es schon eine klare Abgrenzung zwischen einer Männer- und einer Frauenkunst, die auch nach sozialer, ethnischer, politischer oder irgendeiner anderen Zugehörigkeit weiter unterteilt wird. Die Kunst ist zum Teil einer allgemeinen *Reality-Show* geworden. Sie passt sich an die Bedürfnisse von Medien-, Tourismus-, Nahrungs-, Pharma-, Textil- und anderen Industrien an. Sie kann sowohl eine wissenschaftliche, ökologische, religiöse, politische, ethische, elektronische Kunst als auch eine Atom- oder Weltraumkunst sein; die Kunst kann alles sein, was denkbar ist, nur nicht sie selbst.

Was heute als Kunst geschaut, gehört und gelesen wird, spielt sich in der *Nichtigkeit* des Kunst-wesens und in der *Zerbrochenheit* des Kunst-werks ab – und es kann sich nur so abspielen. Die Kunst ist heute ein *wesenloses, unsachliches* Nicht-Werk und *kann sich nur noch in dieser Nichtigkeit und Zerbrochenheit wesentlich darstellen.* Die Kunst ist nichts mehr und kann zugleich alles sein. Mit Werten, Kriterien sowie Kunst- und Philosophiekritik aufzutreten, ist gegenstandslos, denn das Kunstwerk selbst ist gegenstandlos. Das wird von denjenigen Bestrebungen verkannt, die die Kunst in ihrer ehemaligen Würde restituieren, ihr wieder Ruhm und Ehre verleihen wollen, denn durch sie wird die Echtheit der Erfahrung in nicht geringerem Maße erzwungen als durch künstlerische Phänomene und Urphänomene. Die Verehrung der Kunst ist keinesfalls echter als deren Entehrung, wenn etwa durch die Zerstörung von Kunstwerken auf die wesentliche Nichtigkeit der Kunst »hingewiesen« wird. Es macht dabei keinen Unterschied, wenn über den Wert von Kunstwerken an den prominentesten Akademien diskutiert wird oder wenn bloße Meinungsumfragen darüber durchgeführt werden, was die Menschen für Kunst halten.

So verbleiben und beharren wir bei diesem Nullpunkt einer echten Erfahrung der Kunst, ohne uns einzubilden, dass dieser Nullpunkt des Nichtigwerdens nun eine echte Erfahrung sei – und wie könnte sie überhaupt eine Erfahrung sein, wenn sie weder eine Tragweite noch eine Reichweite hat? Von hier aus lassen sich Entwicklung, Werte und Spezifika in der Erscheinung der »modernen« Kunst nicht erörtern. Auch können die Künstler keine konkreten Hinweise bekommen, womit sie sich beschäftigen sollen. Es stellt sich nur die Frage nach der Möglichkeit oder Unmöglichkeit der Echtheit der Erfahrung, die aber als solche schon eine wesentliche Entscheidung verlangt. Es geht *nur und allein darum*, also um eine *wesentliche Entscheidung*, die in der Erfahrung der Kunst heute grundlegend fehlt, so dass diese in einer Nichtunterscheidbarkeit, einem verworrenen Strom von Erzwingungen der Echtheit ohne wesentliche Entscheidung, erfolgt. *Eine echte Erfahrung kann sich nämlich nur aus einer Vorentscheidung ergeben.* Da die Entscheidung ihrem Wesen nach einer Er-fahrung vorangeht, kann dieser Zeit und Dauer ohne jene überhaupt nicht zu-kommen. Die Entscheidung braucht eine in ihrer Bestimmtheit entschlossene Standnahme, so dass sie eine grundlegende Unterscheidung wagen kann, die sie selbst nicht gemacht hat, die aber mit ihr zusammenhängt. *Was kann die Grundlage und der Grund der Entscheidung sein, durch welche die Möglichkeit einer echten Erfahrung der Kunst heute erschlossen wird?*

Unterscheidung von Kunst und Technik.

Es geht nicht um eine Unterscheidung der Kunst von der Technik oder umgekehrt der Technik von der Kunst, sondern um die Unterscheidung von Kunst *und* Technik. Das bedeutet, dass die Kunst und Technik durch die Unterscheidung zu dem gebracht werden, was für sie entscheidend und wesentlich bestimmend ist. Aber wer möchte in der Unterscheidung von Kunst und Technik etwas so entscheidend Wesentliches sehen und dabei irgendetwas Bestimmendes erfahren? Kaum jemand ist bereit zu gestehen, dass davon vielleicht ein ganzes Zeitalter oder sogar der „historische Sinn" abhängt.

Worauf kann sich eine solche Forderung nach der Unterscheidung von Kunst und Technik *konkreter* stützen? Was könnte solche *Konkretheit* bedeuten? Das Konkrete ist, wie wohl bekannt, eine wichtige Kategorie in der Philosophie Hegels, die allerdings nicht zugunsten der Unterscheidung von Kunst und Technik spricht, sondern vielmehr die Konkretisierung ihres Zusammenfalls befürwortet, insofern die Kunst von ihr als vollendet betrachtet wird. Alle vollendeten Formen des Geistes – Positivismus im breitesten Sinne – werden zu Techniken der Positionierung. Die Unterscheidung von Kunst und Technik kann sich nur auf das stützen, was in seiner *Konkretheit als Unkonkretes ausfällt.* Dieser Ausfall und Auswurf ist – wie sich in allen künstlerischen Abstraktionsrichtungen des 20. Jahrhunderts offenbart – eben die wesentliche Anwesenheit der Kunst als Kunstlosigkeit.

Wie die Kunst im Zusammenfallen mit der Technik als *Unkonkretes* wirkt, wird auch durch die modernen Versuche ihrer Besinnung bezeugt. Um an diese anzuknüpfen sollen hier zwei gleichsam gleichzeitig unternommene Versuche in der ersten Hälfte des vorigen Jahrhunderts hervorgehoben werden: die Abhandlung *Das Kunstwerk im Zeitalter seiner technischen Reproduzierbarkeit* (erste Fassung 1935, zweite Fassung 1936-1939) von Walter Benjamin und der Aufsatz *Der Ursprung des Kunstwerks* (Vortrag 1935, Wiederholung 1936) von Martin Heidegger.

Wenn Benjamin den Aspekt der »Technisierung« moderner Kunst ausdrücklich in den Vordergrund stellt, dann stößt Heidegger bei seinem Versuch der Bestimmung des Ursprungs von Kunst auf den »gleichen Ursprung« der Frage nach der Technik und der Frage nach der Kunst. Auf diesen Sachverhalt wird von Heidegger anlässlich der Ausgabe dieses Textes nach dem Zweiten Weltkrieg ausdrücklich verwiesen – er weist hier auf die Überlagerungen im Gebrauch des Wortes »Gestell« in dem Aufsatz über den Ursprung des Kunstwerkes und dem Aufsatz über die Technik hin: »Gemäß dem bisher Erläuterten bestimmt sich die Bedeutung des auf S. 64 gebrauchten Wortes „Ge-Stell", die Versammlung des Her-vor-bringens, des Her-vor-ankommen-lassens in dem Riß als Umriß (péras). Durch das so gedachte „Ge-stell" klärt sich der griechische Sinn von *morphé* als Gestalt. Nun ist in der Tat das später als ausdrückliches Leitwort für das Wesen der modernen Technik gebrauchte Wort „Ge-stell" von jenem Ge-Stell her gedacht (*nicht* von Büchergestell und der Montage her). Jener Zusammenhang ist ein wesentlicher, weil seinsgeschicklicher. Das Ge-Stell als Wesen der modernen Technik kommt vom griechisch erfahrenen Vorliegenlassen, *lógos*, her, von der griechischen *poíesis* und *thésis*. Im Stellen des Ge-Stells d. h. jetzt im Herausfordern in die Sicherstellung von allem, spricht der Anspruch der ratio reddenda, d.h. des *lógon didónai*, so freilich, das jetzt dieser Anspruch im Gestell die Herrschaft des Unbedingten übernimmt und das Vorstellen aus dem griechischen Vernehmen zum Sicher- und Fest-stellen sich versammelt.«[60]

Dass dieser »wesentliche Zusammenhang« für Heidegger einer entscheidenden Besinnung wert ist, zeigt auch der Abschluss seines Aufsatzes über die Frage nach der Technik: »Einstmals trug nicht nur Technik den Namen *téchne*. Einstmals hieß *téchne* auch jenes Entbergen, das die Wahrheit in dem Glanz des Scheinenden hervorbringt.

Einstmals hieß *téchne auch das Hervorbringen des Wahren in das Schöne. Téchne* hieß auch die *poíesis* der schönen Künste.

Am Beginn des abendländlichen Geschickes stiegen in Griechenland die Künste in die höchste Höhe des ihnen gewährten Entbergens. Sie brachten die Gegenwart der Götter, brachten die Zwiesprache des göttlichen und menschlichen Geschickes zum Leuchten. Und die Kunst heißt nur *téchne*. Sie war ein einziges, vielfältiges Entbergen. Sie war fromm, *prómos*, d.h. fügsam dem Walten und Verwahren der Wahrheit.«[61]

Die entscheidende Besinnung der griechischen *téchne* soll eine wesentliche Unterscheidung von Kunst und Technik in unserer Zeit herbeirufen. Sie ist mit der Möglichkeit einer echten Erfahrung grundlegend verbunden, die von der Technik der Kunst weggenommen wird und die von der Kunst noch gegeben werden kann: »Weil das Wesen der Technik nichts Technisches ist, darum muss die wesentliche Besinnung auf die Technik und die ent-

---

[60] Martin Heidegger, *Der Ursprung des Kunstwerks,* Stuttgart 1960, S. 89--90.

[61] Martin Heidegger, »Die Frage nach der Technik«, in: *Vorträge und Aufsätze*, Pfullingen 1990, S. 38.

scheidende Auseinandersetzung mit ihr in einem Bereich geschehen, der einerseits mit dem Wesen der Technik verwandt und andererseits von ihm doch grundverschieden ist.

Also fragend bezeugen wir den Notstand, dass wir das Wesende der Technik vor lauter Technik noch nicht erfahren, dass wir das Wesende der Kunst vor lauter Ästhetik nicht mehr bewahren. Je fragender wir jedoch das Wesen der Technik bedenken, um so geheimnisvoller wird das Wesen der Kunst.«[62]

Auf die Notwendigkeit der Unterscheidung zwischen Kunst und Technik verweist Heidegger wohl am konzisesten in seinem in Athen abgehaltenen Vortrag »Die Herkunft der Kunst und die Bestimmung des Denkens«: »Die Kunst ist *téchne*, aber keine Technik. Der Künstler ist technítes, aber weder Techniker noch Handwerker.«[63] Heidegger geht offenbar von der »Einheit« des Ursprungs von Kunst und Technik aus, wie dieser in der griechischen *téchne* seinen Ausdruck findet, und hebt dabei hervor, dass die *Herkunft* der Kunst trotz ihres gleichen Ursprungs mit der Technik dennoch anders und eine andere ist. Ja, die Herkunft der Kunst verlangt eine klare Unterscheidung von Kunst und Technik. Das Paradox von Ursprung und Herkunft der Kunst und ihrem gleichen Ursprung mit der Technik ist mehr als offensichtlich. Im ursprünglichen Aufgang der Kunst brauchten die Griechen keine Unterscheidung von Kunst und Technik, dagegen ist aber in der gegenwärtigen Zeit, die durch das Ende der Kunst wesentlich gekennzeichnet sei, eine klare Unterscheidung beider erforderlich, um dadurch eine maßgebende Erfahrung der Herkunft der Kunst erschließen zu können. Das Paradox ist dadurch noch nicht beseitigt. Wie es für die Griechen selbstverständlich war, keine besondere Unterscheidung zwischen Kunst und Technik zu treffen, obwohl ihnen der *Unterschied* zwischen beiden klar war, so ist für uns die Unterscheidung zwischen Kunst und Technik etwas Selbstverständliches, wobei wir uns des *Unterschieds selbst* nicht innegeworden sind. Wir stehen nicht in der *Lichtung dieses Unterschieds*, die für die Griechen so einfach war. Nur das Einlassen in die Lichtung der Unterscheidung vermag uns eine echte Erfahrung der Kunst aus ihrer Herkunft heraus anzunähern, die im selben Ursprung von Kunst und Technik *verborgen* bleibt. Die Lichtung der Unterscheidung schenkt uns das, was in der *Entbergung* der Technik als Kunst *verborgen* bleibt: *Kunst als Geheimnis*.

Auf diesen Zustand wird später nochmals eingegangen. Nun wäre wohl nicht fehl am Platze, in Anlehnung an die oben bezeichnete Abhandlung von Benjamin einen Umriss des modernen Aspekts der Verflechtung von Kunst und Technik zu geben.

Den Ausgangspunkt der Abhandlung von Benjamin bildet das oben erörterte Problem der Echtheit des Kunstwerks, die angesichts der technischen Reproduzierbarkeit des Kunstwerks seiner Meinung nach in einem ganz neuen Licht sich zeigt bzw. dem Kunstwerk das *Licht wegnimmt*. Benjamin beschreibt das als *Aura*:

»Die Umstände, in die das Produkt der technischen Reproduktion des Kunstwerks gebracht werden kann, mögen im übrigen den Bestand des Kunstwerks unangetastet lassen – sie entwerten auf alle Fälle sein Hier und Jetzt. Wenn das auch keineswegs vom Kunstwerk allein gilt, sondern entsprechend z. B. von einer Landschaft, die im Film am Beschauer vorbeizieht, so wird durch diesen Vorgang am Gegenstande der Kunst ein empfindlichster

---

[62] Ibid., S. 39 f.

[63] Martin Heidegger, »Die Herkunft der Kunst und die Bestimmung des Denkens«, in: *Distanz und Nähe. Reflexionen und Analysen zur Kunst der Gegenwart*, hg. von Petra Jaeger und Rudolf Lüthe, Würzburg 1983, S. 33.

Kern berührt, den so verletzbar kein natürlicher hat. Das ist seine Echtheit. Die Echtheit einer Sache ist der Inbegriff alles von Ursprung her an ihr Tradierbaren, von ihrer materiellen Dauer bis zu ihrer geschichtlichen Zeugenschaft. Da die letztere auf der ersteren fundiert ist, so gerät in der Produktion, wo die erstere sich dem Menschen entzogen hat, auch die letztere: die geschichtliche Zeugenschaft der Sache ins Wanken. Freilich nur diese; was aber dergestalt ins Wanken gerät, das ist die Autorität der Sache.

Man kann, was hier ausfällt, im Begriff der Aura zusammenfassen und sagen: was im Zeitalter der technischen Reproduzierbarkeit des Kunstwerks verkümmert, das ist seine Aura. Der Vorgang ist symptomatisch; seine Bedeutung weist über den Bereich der Kunst hinaus. Die Reproduktionstechnik, so ließe sich allgemein formulieren, löst das Reproduzierte aus dem Bereich der Tradition ab. Indem sie die Reproduktion vervielfältigt, setzt sie an die Stelle seines einmaligen Vorkommens sein massenweises.«[64]

Benjamin fasst sein Verständnis der Echtheit des Kunstwerks mit folgenden Worten zusammen: »Die Einzigkeit des Kunstwerks ist identisch mit seinem Eingebettetsein in den Zusammenhang der Tradition.«[65] Durch die technische Reproduzierbarkeit, wie sie vor allem durch Photographie und Film gekennzeichnet wird, tritt insbesondere der Ausstellungswert des Kunstwerks hervor, der das Kunstwerk für das Politische erschließt, wo Benjamin die »Politisierung der Kunst« der faschistischen »Ästhetisierung der Politik« entgegenstellt. Sowohl Benjamin als auch sein Gegner Marinetti betrachten die (auf die Reproduktion beschränkte) Wirkung der Technik als positive »Befreiung« und denken gar nicht an eine Unterscheidung von Kunst und Technik. Benjamin bindet nämlich die Möglichkeit der echten künstlerischen Erfahrung an die technologische Wirklichkeit der Befreiung von der »Aura« und »Tradition«. Beide Auffassungen sind bei Benjamin gleichermaßen verweisend und irreführend: Verweisend, insofern sie auf das Problem der Echtheit des Kunstwerks hinweisen, die durch die technische Reproduktion aufgehoben wird, und irreführend, insofern sie gemäß der Möglichkeit der Aufhebung, also im Grunde technisch behandelt werden – wobei die Thematisierung des »Technischen« nebensächlich ist und ihre Wirkung nicht als solche behandelt wird, sondern als begrenzt, mit Bezug auf die Möglichkeit der »*Reproduktion*«, der Vervielfältigung, die für die »Massen« bestimmt ist. Da auch die Kunst nicht nur hinsichtlich der Vervielfältigung von Kunstwerken, sondern auch grundlegend als produktiv verstanden wird, bleibt ihr *mimetischer Charakter und ihre echte Sprache* verborgen. Warum kommt es also mit der Angeberei der Technik dazu, dass die Kunst *ihre Sprache* nicht nur ändert, sondern sogar *verliert*? Liegt der Grund darin, dass die Technik selbst nicht spricht? Und was bedeutet *»nicht sprechen«*? Wie betrifft diese *Nicht*-Sprache die Unterscheidung von Kunst und Technik?

Diese Frage steckt weder in der wesenlosen Macht der Technik noch in der wesentlichen Ohnmacht der Kunst, sondern ist zuerst und vor allem das eigentliche *Eigentum der Sprache* selbst. Wie ist nun der Unterscheidung von Kunst und Technik der Weg aus der wesentlichen Eigentlichkeit der Sprache zu ebnen, wenn ihr eigenes Wesen eben die verlorengegangene auratische Eigenschaft der Kunst bildet?

Heideggers Aufsatz über den Ursprung des Kunstwerks wird eben durch die aus-

---

[64] Walter Benjamin, »Das Kunstwerk im Zeitalter seiner technischen Reproduzierbarkeit«, Frankfurt am Main 1977, S. 13.

[65] Ibid., S. 16.

drückliche Kehre *zur Sprache* abgeschlossen. Heidegger hebt dabei hervor, dass die Sprache nicht deshalb Dichtung ist, weil sie Urpoesie ist, sondern die Poesie ereignet sich in der Sprache, weil diese »*das ursprüngliche Wesen der Dichtung*«[66] verwahrt. Auch alle übrigen Kunstgattungen geschehen immer im »schon Offenen der Sage und des Nennens«. »Sie sind ein je eigenes Dichten innerhalb der Lichtung des Seienden, die schon und ganz unbeachtet in der Sprache geschehen ist.«[67] Die Kunst als Erfahrung wird also erst durch die Sprache möglich. Heidegger macht auf dem Weg zum Ursprung der Kunst in Poesie und Dichtung in der Sprache mehrere Schritte, auf die wir hier nicht näher eingehen können. Darunter ist wohl der wichtigste derjenige, durch den die Wahrheitsfrage erneut und breiter thematisiert wird, und zwar mit Bezug darauf, was in dieser Hinsicht in *Sein und Zeit* erreicht wurde, wobei dem Sichverbergen gegenüber dem Sichentbergen der Wahrheit eine besondere Bedeutung zukommt und zugleich auch die Weltmäßigkeit ihren Kontrapunkt im Irdischen erhält. Die klassischen Kategorien der »Form« und »Materie« sind somit, wenn es sich um die Erörterung der wesentlichen Anwesenheit des Kunstwerks handelt, überwunden. Das Kunstwerk übergibt sich uns als ein *ereignishaftes Zwischen* der die Welt eröffnenden und zugleich die Erde schließenden *Bewegung* der Wahrheit, dem *Setzen* der Wahrheit *in das Werk*. Die Echtheit des Kunstwerks wird somit von Heidegger als ursprüngliches *Dichten*, als *Stiften* erfasst. Hier wird nochmals der gleiche Ursprung der Frage nach der Technik und der Frage nach der Kunst mit Bezug auf die Stiftung der Welt auf der Erde, d.h. mit Bezug auf das *Wohnen* angedeutet. Dieser gleiche Ursprung ist *archi-tektonisch*, indem er von dem, worauf er gegründet wird, zu dem, was gegründet wird, übergeht. Das ist die *Architektonik des Grundes und der Bewegung des* westlichen *Geistes*, die sich einerseits in der *Stiftung* der Kunst zeigt, anderseits aber in der *Setzung* der Wissenschaft/Technik, die sich heute als Diktatur der Produktion auch das künstlerische Schaffen unterwirft. Darin lassen sich Kultur und Technik nicht ursprünglich unterscheiden, es ist aber vielmehr möglich und notwendig, die *Herkunft* der Kunst zu unterscheiden, insofern sie den *Weg zur Sprache* verbirgt. Dieser Weg kann aber nur dann echt erfahren werden, wenn die Sprache als Beweggrund der Erfahrung und dessen Bewegung angenommen wird. Aus dem Sagen der Sprache fließt der Fluss der Erfahrung hervor. Die Sprache bewegt jede mögliche Erfahrung.

Die Sprache ist die tragende Erfahrung der Kunst. Das Kunstwerk könnte keine Wahrheit tragen, wenn diese nicht durch die Sprache in das Kunstwerk eingetragen worden wäre. Dadurch wird auch die »künstlerische Form« bestimmt, die nichts Formales ist, sondern der *tragende Austrag* von *poíesis*. Die Griechen verstanden diesen grundlegenden Ursprung, dem die Kunst entspringt, aus dem Musischen der Musen, der Töchter der Mnemosyne. Dem musischen Charakter der Kunst entsprechend sammelt sich die echte Kunsterfahrung in Nachahmung, *mímesis*, an, die eine ursprüngliche Bewegung (*rhythmós*) der Sprache ist.

Vor diesem Hintergrund zeigt sich die Technik als Überflüssigkeit der Nachahmung. Die Technik bewegt sich strenggenommen nicht, sondern sie treibt und betreibt. Sie ist ein Betrieb, dessen Trieb das Dasein dadurch treibt, das die Ruhe, auf der die Welt beruht, von der Erde vertrieben wird. Das Irdische wird im Treiben der Technik als selbst-

---

[66] *Der Ursprung des Kunstwerks*, S. 76.
[67] Ibid., S. 76.

kreisende nicht einfangbare Grundlosigkeit abgelöst, als Schildkröte des Achilles, wenn diese als ein altes Sinnbild des Irdischen verstanden wird. Das Treiben der Technik geht in der Tat nirgendwohin, obwohl es überall zum Fortschritt treibt. Unter der Dominanz der Uniformität kommt die Entweltlichung auf, der sich der Mensch mit allen nur denkbaren Reformierungen von Produktionsverhältnissen nicht zur Wehr setzen kann. Die Fertigkeit der Welt, in der alles gesichert ist, löst eine panische Ungewissheit aus.

Heidegger war sich dessen bewusst, dass der Verlust der Kunst im Treiben des Betriebs der Technik unüberwindbar und unaufhebbar ist. In seiner Abhandlung *Beiträge zur Philosophie* spricht er von der *Kunstlosigkeit* als wesentlichem Zustand der modernen Kunst. Der Kunstverlust zeigt sich am deutlichsten im Rahmen dessen, was Heidegger nach Hölderlin als Flucht der Götter zu denken versucht. Die Flucht der Götter, die als Verlust der Kunst erfolgt, vollzieht sich als Bevollmächtigung der Technik und vollendet sich als Wesensverarmung der Menschlichkeit. Wie sich in dieser Armut der wesentliche *Mut* der Menschlichkeit verbirgt, so ist auch im Verlust der Kunst ihre Ein-falt und damit ihr *Falten* als *verlorene*, aber dennoch gesuchte echt bewegende Erfahrung enthalten. Diese wurde bereits durch das griechische Wort *mímesis* bezeugt, die wir beharrlich nach einer vulgären Abbildtheorie darstellen und wobei nach mehr poetischen Alternativen in der Erzwingung der Echtheit gesucht wird. *Nach der griechischen Auffassung von mímesis weicht die Kunst vor jeder Erzwingung dessen, was ist, zurück. Die Kunst wird bewegt und sie bewegt sich auf die Weise der Herum-bewegung,* was übrigens von Ästhetiktheorien als ihre »Interesselosigkeit« gedeutet wird. Es ist aber wichtig, dass diese Herumbewegung der Kunst eigentlich die Mimik der Tanzbewegung darstellt, womit sich auch die ursprüngliche Auffassung von *mímesis* verknüpft, wie es von H. Koller in seiner Abhandlung über die *Mímesis* in der Antike hervorgehoben wird: »Der Tanz ist bei den Griechen die alles umfassende Kunstform; sie schließt das Wort, die Bewegung und Haltung und das Melos in sich ein. Wir könnten konstruierend ableiten: wenn Tanz von Griechen als Mimesis, als Darstellung, 'Ausdruck', gefaßt wird … dann ist er eine *mímesis phonaîs kai schémasin* (Darstellung, Ausdruck mittels der Laute und Gebärden). Ihre Mittel sind *lógos, mélos, rhythmós, ihr* Resultat: Ausdruck, Formwerdung der *éthe, páthe, práxeis* der menschlichen Seele.«[68]

Mímesis betrifft jene echte Erfahrung der Kunst, die nicht nur die in gegenwärtiger Medientechnologie präsente Ab-bildung ist, sondern auch die *Nachahmung*, Mimik, Mimikry – das Falten der heute verlorengegangenen echten Kunsterfahrung. Die Erfahrung dieses Faltens bringt uns zwar die verlorengegangene Echtheit der Kunsterfahrung nicht zurück, wenn diese als *Aura* im Benjaminschen Sinne gedacht wird. Den Hinweisen von Heidegger folgend ist aber das, was von Benjamin als Aura und Tradition erfasst wird, als *Sprache* in ihrer grundlegenden Bewegung und Bewegungsmöglichkeit zu denken, durch die jede Bewegung erst möglich ist. Nur da, wo es eine Bewegungsmöglichkeit gibt, ist es auch möglich, dass etwas zur Erfahrung überhaupt gelangt, und somit ist die Sprache als die bewegende Urerfahrung die Grundlage aller Echtheit. Etwas ist echt, wenn es uns echt anspricht, und das heißt, dass die Echtheit der Erfahrung das Element der Sprache selbst ist.

Die Kunst bewegt uns durch ihre umfaltende Herumbewegung, was von Aristo-

---

[68] Hermann Koller, *Die Mimesis in der Antike. Nachahmung, Darstellung, Ausdruck,* Bern 1954, S. 25.

teles in der *Poetik* als das Gefühl von *kátharsis*, Reinigung, erörtert wurde. Wir werden dadurch gereinigt, was uns bewegt, indem sich in uns das Wesentliche ent-faltet. Kunst ist eine ent-faltend-herumbewegende Bewegtheit. Was bewegt sich in uns? Die Sprache bzw. genauer das, was in uns als Sprache schmerzlich schweigt. *Die Kunst ist der Schmerz der Sprache.* Wenn wir sie vermögen, dann können wir auch Kunst und Technik unterscheiden. Die Sprache ist keine Kunst, dagegen ist aber jede Kunst Sprache, was die *Technik nie sein kann.* Die Technik mit ihrem massenweisen Informations- und Kommunikationsaustausch spricht nicht und sie spricht auch niemand an. Die Technik zerstört das Gespräch der Welt, und zwar auch dadurch, dass die Kunst heute nicht mehr vermag, etwas zum wesentlichen Ausdruck zu bringen. Aber eben in dem Maße, in dem die Kunst in der echten Erfahrung der Sprache verloren ist, sucht sie nicht nur nach Ausdruck und Form, sondern sie er-fährt die Sprache im Falten der Zwiefalt, in der Ent-faltung der Einfalt.

Ein Gespräch zwischen einem Betrachtenden und einem Aufspürenden
(und ein Horchender, der dem Gespräch unbemerkt beiwohnt)

B: Unsere gestrige Unterredung streifte die europäische Geistigkeit. Wir blickten auf jenes zurück, was den Namen Erste Philosophie trägt und worin ich die eigentliche Europologie sehe. Trotzdem schritt unser Unterreden nicht in Richtung einer Bestimmung des hier Tragenden voran, nicht nur seinem Namen nach, sondern vor allem seinem Wesen nach.

A: Wenn nennen wesentlich bestimmen hieße, dann …

B: Natürlich, dann könnten wir alles viel klarer einsehen!

A: Es wäre zu fragen, ob dadurch auch das Alles klarer würde, was wir da enthüllen. Sie stimmen mir doch zu, daß wir über die Welt reden?

B: Ja, darüber reden wir.

A: Ist die Welt ein All-Ding?

B: Eher eine Allheit, würde ich sagen.

A: Und damit meinen Sie wohl die Ganzheit aller Dinge?

B: Nicht aber die Summe aller Dinge. Ich meine die Dinglichkeit, die die Dinge bilden.

A: Dies besagt nur, daß die Welt ein Gebilde der Dinge darstellt. Wir dürfen aber keineswegs die Welt im Wesentlichen als etwas durch die Dinglichkeit der Dinge bedingtes bestimmen. Die Welt *über*ragt die Dinge.

B: Was betrachten Sie dann als „die Dinge", wenn Sie sagen, daß die Welt sie überragt? Ebenso oder sogar noch berechtigter könnte man behaupten, die Welt sei etwas *weniger* als die Dinge, da man sie weder fassen noch sehen kann.

A: Dies bedeutet für mich nur, daß die Welt nichts Dingliches ist, was wir fassen oder sehen könnten. Jedoch versteht jeder gleich, was wir meinen, wenn wir Welt sagen.

B: Die Welt soll also etwas wesentlich anderes als das Ding besagen. Die Welt stellt für Sie ein Etwas dar, jedoch kein Ding.

A: Was ich behaupte oder was sich mir zeigt ist, daß höchstens die Dinge etwas sind, die Welt aber nichts davon, was ein Etwas sein könnte.

B: Wenn Sie die Welt auf diese Weise erörtern, kommt es mir so vor, als wollten Sie mich nötigen, in ein Nichts zu schauen.

A: Das mache ich auch. Wenn wir den Unterschied zwischen der Welt und den Dingen wahrnehmen wollen, dann müssen wir von dem Sehen des Etwas wegkommen und die Leere des Nichts schauen lernen.

B: Wenn Sie „wahrnehmen" sagen, hört sich das wie *fühlen* an. Wäre das Schauen der Leere des Nichts nicht ein Gefühl, ich würde sogar sagen ein völlig überladenes Gefühl der Welt?

A: Das uns allein die Nähe und Ferne der Dinge zu spüren gibt. Ohne es wüßten wir gar nichts von der *Anwesenheit* der Dinge. Und noch bestimmter: die Leere des Nichts, die der Mensch bewohnt, gibt allein die Fülle der Welt, die die Dinge erfüllen.

B: Wie können Sie sagen, der Mensch wohne in der Leere des Nichts, wenn Sie nicht wissen, was das Ding ist, was die Welt, und was den Unterschied beider ausmacht. Ihrer Meinung nach soll ein Ding alles sein, was ein Etwas ist, die Welt aber nichts von dem, was ein Etwas sein könnte. Die Welt an sich wäre demnach ein Nichts, erst die Anwesenheit der Dinge machte sie zu einem Etwas. Ich würde vorschlagen, daß wir uns mehr an die alltägliche Erfahrung der Dinglichkeit der Dinge halten.

A: Die Alltäglichkeit ist jedoch nichts Alltägliches.

B: Manchmal ist es angemessener, beim Alltäglichen zu verweilen, als hastig dem Nichtalltäglichen nachzujagen.

A: Nichts brauchen wir besonders nachzujagen. Sobald wir die Alltäglichkeit bedenken, befinden wir uns im Reich des Nichtalltäglichen.

B: Wird das Alltägliche so nicht überscharf vom Nichtalltäglichen getrennt? Treffen wir unter den Dingen in der Welt nicht beides zugleich an? Man darf auch nicht die Menschen vergessen, mit denen wir uns die Welt und die Dinge teilen.

A: Das Nichtalltägliche, ginge es irgendetwas oder irgendjemanden an, vermessen wir dann mit dem Maßstab des Alltäglichen. Ich wollte nur sagen, daß wir, um das auszumessen, was wir die Alltäglichkeit nennen, schon einen nichtalltäglichen Maßstab benötigen. Diesen habe ich vorhin als das Schauen der Leere des Nichts angesetzt.

B: Als ob Sie schon etwas sähen, was ich noch nicht sehen kann.

A: Bloß dem wird Gehorsam entgegengebracht, was schon im voraus sein Wesen zusagt. Jedoch möchte ich von Ihnen hören, was die alltägliche Welt und die sie bewohnenden Menschen und Dinge ausmacht.

B: Menschen und Dinge, die mich umgeben und die dadurch für mich bedeutsam sind, einfach alles, was mir etwas bedeutet. Zwar ist unter allem, was mich umgibt, viel von dem enthalten, was mir nicht besonders viel oder sogar gar nichts bedeutet, aber immer von dem Ganzen her gesehen, was mir etwas bedeutet. Die Dinge sind für mich nicht alle gleich bedeutsam, ich ziehe immer etwas vor. Genauso sind mir einige Menschen wichtiger als die anderen. Mir ist …

A: Was heißt doch dieses „Mir ist …"?

B: … eigentlich etwas ziemlich Alltägliches, wenn wir bedenken, daß wir Bekannte gewöhnlich mit der Frage „Wie geht es Dir?" ansprechen.

A: Von den Anderen, mag es sich um Bekannte oder Unbekannte handeln, erwarten wir eigentlich schon, daß es ihnen irgendwie geht, daß sie mit irgendetwas beschäftigt sind. Dabei wird gar nicht wirklich erfahren, wie es ihnen geht und was ihre Beschwerden, Freuden und Hoffnungen sind; meist erwidern sie bloß „gut", was uns befriedigt.

B: Die Frage „Wie geht es Ihnen?" wird ja nicht gestellt, um zu erfahren, was das Gegenüber tatsächlich plagt, sondern nur so, damit man etwas sagt.

A: Damit wird aber etwas Peinliches überwunden.

B: Und dieses Peinliche wäre?

A: Genau dieses „wie es mir geht".

B: Wozu wird dann danach gefragt, wenn wir gar nichts erfahren möchten?

A: Nicht jedes Fragen ist ein Nachfragen. Einige Fragen lassen sich nicht beantworten, andere verlangen keine klare Antwort. Die Frage „Wie geht es Dir?" ist strenggenommen überhaupt nicht an mein Gegenüber gerichtet als einer Person, *mit* der ich rede, die mir eine konkrete Antwort geben soll, sondern eröffnet erst dieses „mit". Es zeigt ein Befinden in der Welt an, das ich mit den Andern teile und wird deswegen immer als ein Mit-Befinden gefaßt. In der Frage „Wie geht es Dir?" mache ich dieses Mitbefinden ausdrücklich, für mich und mein Gegenüber, so daß wir über etwas ins Gespräch treten können.

B: Ich akzeptiere Ihre Erklärung, verstehe jedoch nicht, warum dieses Mitbefinden peinlich sein sollte. Wir kennen auch frohe Stimmungen und teilen sie mit den Anderen.

A: Die Peinlichkeit von „Wie geht es Ihnen?" stellt keine Last dar, die ich beliebig tragen und ablegen könnte, sie ist mir stets aufgetragen. Es handelt sich um die Peinlichkeit meines Welt-Verweilens überhaupt. Sie kann im Erscheinen der Langeweile zutage treten, die nebelartig den Alltag durchzieht.

B: Die Alltäglichkeit wird gewöhnlich als etwas nebelartig Langweiliges erfahren. Doch die Gewohnheit des Alltags überwältigt der Wunsch nach Ungewöhnlichem.

A: Obwohl der Wunsch die Alltäglichkeit durchwegs zu überwältigten sucht, besiegt er sie doch letztendlich nie.

B: Die Gewohnheit des Alltags kehrt immer wieder zurück und bringt die Plage der Langeweile mit sich. Wohin deutet all dies?

A: In unsere Endlichkeit als Peinlichkeit des Verweilens in der Welt.

B: Warum nicht Freude?

A: Die Verflechtung von Freude und Pein ist da das Merkwürdigste.

B: Sind Sie bereit, diese Merkwürdigkeit zu erhellen?

A (versinkt in Gedanken): Es kommt nicht darauf an, ob ich dazu bereit bin …

B: Plötzlich fehlt Ihnen das Wort.

A (bliebt still, denkt weiter nach)

B (unterbricht nach einer Weile das Schweigen): Vielleicht ist die Verflechtung von Freude und Pein von Mensch zu Mensch verschieden und kann nicht generell bestimmt werden.

A (schweigt)

H (zu sich selbst): Die Redenden haben das Thema des gestrigen Gesprächs völlig vergessen, als hätten sie von Europa überhaupt nicht sprechen wollen. Vielleicht zielt der Verfolgende eigentlich auf ein anderes Thema hin. Möglicherweise soll man das Europäische irgendwo zwischen dem Alltäglichen und dem Geschichtlichen suchen. Was steht dazwischen? Das Schweigen des Verfolgenden sucht etwas.

B: Ihr Schweigen wird verlegen.

V (blickt ins Leere): Nicht verlegen genug, um eine Aufheiterung zu veranlassen.

B: Und dies wäre das Schauen in die Leere des Nichts, das Sie bereits angesprochen haben?

V (ergreift endlich das Wort): Könnte man sagen.

B: Ihre denkerische Aufmerksamkeit zeichnet eine ungewöhnliche Verflechtung von Pein und Freude aus.

A: Nun möchte ich etwas veranschaulichen.

B: Sie überraschen mich, da Sie sich stets im Unanschaulichen aufhalten.

A: Solcher Aufenthalt zeichnet eine sonst verwischte Landschaft aus.

B: Wodurch denn?

A: Durch unser Verweilen in ihr. – Wahrscheinlich reisen Sie selbst manchmal irgendwohin.

B: Natürlich.

A: Dann ist Ihnen vielleicht das Gefühl nicht ganz unbekannt, das den Augenblick der Abreise begleitet.

B: Ich war nie besonders aufmerksam darauf, da ich gedanklich schon unterwegs bin … es kommt mir aber wie ein Zögern vor, ich weiß nicht …

A: Ein Zögern also; doch nicht jenes, das einen mit der Frage überfällt, ob man abreisen soll oder nicht. Es regt sich vielmehr, wenn ich entschlossen bin, abzureisen. Der Augenblick des Weggehens wird dann immer länger. Eigentlich bin nicht nur ich der Zögernde, all das, was mit mir in dem Augenblick da anwesend ist, zögert mit.

B: Zwar fällt mir hier etwas ein, aber fahren Sie fort.

A: Der Ort, an dem ich mich aufhielt und den ich verlassen möchte, war mir vielleicht äußerst zuwider, ich verstand mich mit den ihn bewohnenden Menschen nicht, manches störte mich, ich fand vieles verdrießlich, konnte es kaum erwarten, wegzugehen. Doch im Augenblick des Weggehens, vielleicht sogar das erste Mal, verspüre ich die Anwesenheit des Ortes, die mir den Weggang versperrt. Die Anwesenheit zieht mich zurück, obwohl ich fest vorhabe, wegzugehen.

B: Wenn ich richtig verstehe, enthüllt sich der Aufenthaltsort im Augenblick des Weggehens auf vorher völlig unbekannte Weise. Dies hängt aber nicht von der Beobachtungsfähigkeit ab.

A: Auf keinen Fall. Der Augenblick des Weggehens enthüllt jenes, was sonst unbemerkt vorbei zieht: hier zu sein, mit anderem da zu sein. Jenes „Wie geht es mir?" öffnet da sein Herz.

B: Was Sie vorbringen, reicht vielleicht in das Wesen der Alltäglichkeit selbst, das Ihrer Meinung nach überhaupt nichts Alltägliches sein soll.

A: Stimmt.

B: Demnach zeigt die Alltäglichkeit zwei Gesichter.

A: Eines davon könnte eine Maske sein,

B: die hie und da abgelegt wird. Was verbirgt sie?

A: Alles. Da sie alles überdecken kann,

B: so aber, daß sich hinter ihr die Welt versteckt, die uns jedes Mal zur Verfügung steht.

A: Dadurch vergessen wir völlig, daß und wie es sich da um die Zeit der Welt handelt. Nur gelegentlich kommen wir darauf oder werden von irgendwem dazu ermahnt.

B: Einen solchen Augenblick haben Sie soeben beschrieben. Enthüllt sich nicht – das wollte ich vorhin sagen – das Wesen der Alltäglichkeit in dem, was der Denker, über den wir gestern so lange gesprochen haben, „Seinsvergessenheit" nannte?

A: Mit der „Seinsvergessenheit" ging Heidegger, so sah es zumindest zunächst aus, dem zu der Alltäglichkeit ganz Anderen nach. Die Seinsvergessenheit soll auf verhängnisvolle Weise die gegenwärtige Epoche der europäischen Menschheit bestimmen, die Nietzsche als nihilistische erkannte.

B: Die „Seinsvergessenheit" stellt Ihrer Meinung nach eine grundlegende geistesgeschichtliche Spur dar; keineswegs könnte man also darin die „banale" Alltäglichkeit aufspüren.

H (zu sich selbst): Der Verfolger ist nachdenklich geworden. Vielleicht will er gar nicht zum gestrigen Gespräch zurückkehren. Er wird wahrscheinlich wieder versuchen, sich ins Unbekannte wegzuschleichen oder mit irgendeiner Falle aufzuwarten. Hat er nicht selbst bemerkt, die Alltäglichkeit als solche sei nichts Alltägliches?

A: Eher würde ich sagen, daß sich entweder die Geschichtlichkeit oder aber die Alltäglichkeit der Seinsvergessenheit verschreibt.

B: Demnach könnte eine Einsicht in die „Seinsvergessenheit" die Augen öffnen, sowohl für die Geschichtlichkeit als auch für die Alltäglichkeit?

A: Sie begannen, in dieser Richtung zu suchen. Worauf stützen Sie Ihre Annahme, die Seinsvergessenheit verweise auf das Wesen der Alltäglichkeit?

B: Heideggers Werk *Sein und Zeit*, das uns in die denkerische Erfahrung der Vergessenheit der Frage nach dem Sinn von Sein einführt, beginnt mit einer hermeneutischen Analytik der Alltäglichkeit. Ich bin überzeugt davon, daß das nicht willkürlich geschah, sondern auf einen innigen Zusammenhang zwischen der Enthüllung der Alltäglichkeit und der Entfaltung der Seinsfrage hinweist.

A: Darin soll auch die Geschichtlichkeit miteinbezogen sein.

B: Als Seinsgeschichte der europäischen Humanität wurde sie als nihilistisch erkannt, da sie das Geschehen der Seinsvergessenheit, ihren innersten Beweggrund, völlig vergaß.

A: Wie geht dies die Alltäglichkeit an?

B: Wenn ich sage, diese nihilistische Geschichte sei eine vernichtende Revolution der Alltäglichkeit, die im vorigen Jahrhundert unbeschreibliche Ausmaße annahm, klingt das vielleicht übertrieben.

A: Setzt sich die nihilistische Geschichte also in die Ver-nicht-ung des Alltags um?

B: Dieses Ver-nichten spricht doppeldeutig: der Alltag wird einmal ver-nichtet und zugleich verhält sich der Alltag selbst ver-nicht-end in dem Sinne, daß alles alltäglich wird.

A: Die Alltäglichkeit selbst gestattet also das geschichtliche Ver-nicht-en ihrer selbst?

B: Sie läßt es ihrem eigenen Wesen, der Seinsvergessenheit, nach zu.

A: Vielleicht kommen wir dadurch dem äußerst Merkwürdigen der täglichen Gewohnheit schon etwas näher.

B: Möchten Sie es mir auffinden helfen? Vielleicht liegt eine Erläuterung schon darin, daß die Vergessenheit dem Sein selbst angehört. Das slowenische Wort *pozabitev*, „Vergessenheit", ist nämlich mit dem Verb *biti*, „sein", verwandt.

A: Die slawischen Sprachen sind da äußerst wortgewandt. Dem kroatischen Wort *zaborav*, „das Vergessen", liegt das Verb *boraviti*, „verweilen", „sich aufhalten", zugrunde. Die Vorsilbe *za*, wie z. B. in *zabiti*, „*ver*bringen" und *zaboraviti*, „*ver*gessen", spricht so wie im Slowenischen *zapisati (se)*, (sich) „*auf*schreiben, *ver*schreiben" oder *za*topiti se, „sich *ver*senken".

B: Dürften wir in der *Ver*sunkenheit in das Sein und in der *Ver*schriebenheit dem Sein gegenüber das Wesen der Alltäglichkeit vermuten?

A: Die Spur des Zusammengehörens von *aletheia* und *lethe* besteht, eine Spur der Offenbarkeit, die dem Bergen des Verbergens übereignet ist.

B: Die Übereignung des Seins an die Vergessenheit gibt sich also als die Last des Alltags zu verstehen, die wir über das Gebirge der Zeit mittragen.

A: In der Fuge des Doppelzugs der Alltäglichkeitsvernichtung, die Sie erwähnten,

B: möchte sich die Alltäglichkeit durch die Vergessenheit entlasten, sozusagen des Seins *ent*eignen.

A: Eine weitere Spur soll ebenfalls erwähnt werden: im Russischen besagt das Wort *byt*, „Sein", den Alltag.

B: Wenn die Wörter alles zu sagen vermöchten, bräuchten wir das Denken nicht.

A: Das Schweigen des Wortes schenkt dem Denken den Weg.

B: Der Weg des Denkens wurde zuvor durch das Schauen charakterisiert.

A: Als die Herkunft der Be-geisterung bedacht wurde.

B: Sie haben den Hinweis auf das russische Wort *byt* gegeben. Interessanterweise handelt es sich um ein maskulines Hauptwort. Im Slowenischen ist das Wort *bit*, „das

Sein", ein Femininum, so wie im Kroatischen, wo es soviel wie „Wesen" besagt.

A: Das russische *byt* besitzt eine Nennkraft, die in der Übersetzung durch „Alltag" unerreicht bleibt. Das Wörterbuch zählt noch „gewöhnliches Leben" und „Lebensweise" auf – also „everyday life" bzw. „way of life". Es gibt noch das Eigenschaftswort *bytovoj* in der Bedeutung „das Leben betreffend", „alltäglich". *Bytopisanje* steht für die geschichtliche Beschreibung oder Chronik, *bytopisatelj* oder *bytovik* ist ein Literat, der sich vorwiegend mit den Alltagsthemen beschäftigt, aber auch ein Historiker oder Chronist.

B: Diesen Literaturtypus kritisierten vor allem die russischen Avantgardisten in den zwanziger Jahren des vergangenen Jahrhunderts.

A: Für sie bedeutete *byt* eine *abgestumpfte* Lebensweise, die es zu bekämpfen galt. Auf ihrem Schutt und ihrer Asche sollte die Zukunft konstruiert werden.

B: „Die Zukunft ist unser einziges Ziel" lautete die bekannte avantgardistische Parole. Man soll eine Revolution des alltäglichen Seins anstreben, so wird es der Zukunft vorgeschrieben.

A: Roman Jakobson beschrieb in seinem Vortrag *Von der Generation, die ihre Poeten verschlang* anläßlich des Todes von Vladimir Majakovski die Besonderheiten der avantgardistischen Destruktion von *byt* unter der Flagge der Zukunft genauer.

B (nimmt das Buch aus dem Regal und hält es dem Gesprächspartner hin): Lesen Sie mir seine Beschreibung bitte vor.

A: Gerne. „Dem kreativen Elan zur verwandelten Zukunft setzt sich die Tendenz zum Stabilisieren der bestehenden Gegenwart entgegen, ihr Überwuchertwerden von verwelkten Altertümern, ihr Absterben in engen, abgetragenen Schablonen. Der Name dieses Unfugs heißt *byt* (Alltag). Merkwürdigerweise kam diesem Wort samt seinen Ableitungen in der russischen Sprache und Literatur eine bedeutende Rolle zu. Das Wort ging von der russischen in die komi-zirjanische Sprache über. Die europäischen Sprachen kennen jedoch kein bedeutungsgleiches Wort, wahrscheinlich deshalb, weil sich im europäischen Kollektivbewußtsein gegen die stabilen Lebensformen nichts wehrt, was sie ausschließen könnte, und auch der Aufstand des Einzelnen gegen die etablierten Grundsätze des alltäglichen Gemeinlebens setzt ihr Bestehen voraus. Eine wahre Antithese zum Alltag bildet eben das unmittelbare Gefühl derer heraus, die ihn bewohnen: die Normen sterben ab. In Rußland kennt man dieses Gefühl von der Unbeständigkeit der Grundsätze seit eh und je – nicht als geschichtliche Schlußfolgerung, sondern als ein unmittelbares Erlebnis; im Rußland von Tchaadajev stellte sich den Bildern des ‚toten Meeres' das Gefühl der Unbeständigkeit und Unstabilität entgegen: ‚alles fließt, alles vergeht … In unseren Häusern fühlen wir uns wie in einer Herberge, die Familie ähnelt den Fremden, in den Städten sehen wir wie Nomaden aus.'" In diesem Zusammenhang führt Jakobson auch einige Verse von Majakovski an: „Schon Jahrhunderte lang steht alles so, wie es war. Niemand schlägt sie, die Stute des Alltags rührt sich nicht." „Der Talg überdeckt die Klüfte des Alltags und breitet sich aus, ruhig und üppig." „Zwingen sie ihn zum Singen, den zerschwätzten Alltag!« »Die Alltagsfrage soll auf die Tagesordnung kommen!" Schließlich richtet Jakobson an seine avantgardistische Generation noch folgende Worte: „Viel zu scheu und zahm hafteten unsere Augen an der Zukunft, damit die Vergangenheit uns bliebe. Die Fessel der Zeit ist gebrochen. Allzu sehr lebten wir in der Zukunft, dachten, glaubten an sie. Für uns gibt es den gegenwärtigen

Zeitpunkt nicht mehr: das Gegenwartsgefühl ist uns verloren gegangen. Wir nehmen an den großen sozialen, wissenschaftlichen und anderen Kataklysmen teil und geben Zeugnis von ihnen. *Byt*, der Alltag, ist irgendwo dahinter stecken geblieben. Da möchte ich eine äußerst gelungene Hyperbel des frühen Majakovski zitieren: ‚der andere Fuß nimmt noch Zuflucht aus der anderen Gasse hierher‘. Uns ist klar, daß schon die Vorhaben unserer Väter sich mit ihrem Leben als unvereinbar erwiesen haben. Wir lasen bittere Seiten davon, wie sie den alten, undurchleuchteten Alltag, *byt*, in Kauf nahmen. Unsere Väter glaubten zum Teil noch an die Behaglichkeit und Unausweichlichkeit des Alltags. Den Kindern blieb nur der pure Haß gegen die abgelebte, nur noch fremde Altertümlichkeit des alltäglichen Lebens übrig. Deswegen erinnern uns diese ‚Versuche, das persönliche Leben in Ordnung zu bringen, an das Experiment, das Eis zu erwärmen.‘ Auch die Zukunft gehört uns nicht an. Nach einigen Jahrzehnten wird man uns grob ‚die Menschen des vorigen Zeitalters‘ nennen. Wir besaßen Zukunftslieder voller Pathos und sie verwandelten sich aus der Dynamik des Heute plötzlich in ein historisches, literarisches Faktum. Wenn die Poeten umgebracht sind, wird das Gedicht ins Museum gezerrt und dem gestrigen Tag angehängt, die Generation aber, wörtlich des Wortes beraubt, wird noch kahler, einsamer und verlorener.“

B: Jakobson weist ein subtiles Gefühl für seine Generation auf, welche die Mißachtung des Alltags, *byt*, des Wortes beraubte. Es ist kein Zufall, daß dies gerade ein Linguist bemerkte – der Bewegung der Avantgarde in der Kunst der Zwanziger Jahre des vergangenen Jahrhunderts entspricht eine linguistische Wende in den Geisteswissenschaften. Jedoch bin ich der Meinung, daß er die Gründe für den „*byt*-Umsturz“ zu eng bloß in der russischen Geschichte verortete. Ich sehe in ihnen etwas typisch Europäisches und nicht nur Russisches. Das Umstürzende tritt von außen in die russische Geschichte. Auch der Kommunismus ist seinem Wesensursprung nach nichts Russisches, sondern etwas Europäisches und Abendländisches. Ich glaube auch nicht, das sich das Umstürzen des Alltags, des *byt*, am krassesten gerade in Russland verwirklichte.

H (für sich selbst): Vielleicht könnte man sagen, das russische *byt* sei für diesen Umsturz am empfänglichsten gewesen, weil es äußerst irdisch blieb.

A: Was zeichnet dann die europäische Geschichtlichkeit aus?

B: Den Grundzug der europäischen Geschichtlichkeit macht das Unterstellen des Ganzen des Seienden unter ein einheitlich-einigendes Prinzip aus.

A: Also: das Prinzip des Seins …

B: das unbeweglich die Teleologie der Vernunft bewegt.

A: Der Alltag muß ihr klein beigeben oder aber er bricht zusammen, obwohl er etwas Unprinzipielles bleibt. Die Zange des Prinzips vermag ihn nie völlig zu knacken.

B: Da er ursprünglich der Seinsvergessenheit angehört,

A: wird er von ihr genährt.

B: Das Überwinden des Nihilismus bedeutet demzufolge nicht, die Seinsvergessenheit zu besiegen, sondern vor allem, sie anzuerkennen.

A: Ein Erinnern, das ich vorher das Schauen der Leere des Nichts nannte.

B: Woran mahnt uns dieses Erinnern?

A: Das Erinnern *ist* das Ermahnen.

B: Soll ich dies als eine Moral verstehen?

A: Ich beschäftige mich nicht damit, ob daraus irgendeine Moral folgt oder nicht – wahrscheinlich scheint das Ermahnen dem heutigen Moralgefühl sogar amoralisch. Alles Große ist amoralisch ...

B: und kann nicht vorgeschrieben werden, .

A: weil das Vorgeschriebene in einer Schrift verfaßt wird, die selbst ...

B: Da stießen wir auf etwas, was dem Alltag nicht nur verwandt ist, sondern sogar denselben Ursprung teilt.

A: Na, ich habe meinen Faden verloren ...

B: Sie als Leser von Roman Jakobson mögen wohl die Einsicht kennen, daß sich die Revolution, das Ver-nicht-en des Alltags, stets im Namen einer Schrift vollzieht.

A: Ich muß bemerken, daß die Schrift selbst ein Zeichen der Vergessenheit ist.

B: Darin besteht ihre Ursprungsgleichheit mit dem Alltag, den im Russischen das Wort *byt* bezeichnet. Wir dürfen jedoch nicht vergessen, daß wir, wenn wir von Vergessenheit sprechen, immer die Seinsvergessenheit meinen, was aber nicht ganz ausreicht: es darf nicht weggedacht werden, daß die Seinsvergessenheit der Sprache des Seins selbst angehört.

A: Platon gibt im Schlußteil des Dialoges *Phaidros* den Mythos von der Erfindung der Schrift wieder. Gott Ammon mahnt den Erfinder Theut: „Denn Vergessenheit wird dieses in den Seelen derer, die es kennen lernen, herbeiführen durch Vernachlässigung des Erinnerns, sofern sie nun im Vertrauen auf die Schrift von außen her mittelst fremder Zeichen, nicht von innen her aus sich selbst, das Erinnern schöpfen."

B: Ich sehe da die Ermahnung: die Entfaltung des Sprachphänomens kann sich nicht auf das Zeichenhafte stützen; vielleicht gilt dies auch für die Schrift.

A: Platon sagt, die Schrift enthalte etwas Besonderes „und sie ist darin der Malerei gleich. Denn die Erzeugnisse auch dieser stehen wie lebendig da; wenn du sie aber etwas fragst, schweigen sie sehr vornehm." Und weiter: „Und wenn sie einmal geschrieben ist, so treibt sich jede Rede allerorten umher, gleicherweise bei den Verständigen wie nicht minder bei denen, für die sie gar nicht paßt ..."

B: Jedoch zeigen die schweigende Ständigkeit und sich umhertreibende Mitteilbarkeit etwas an ... man könnte es „Jedesmaligkeit" nennen.

A: Ich glaube zu wissen, worauf Sie es abgesehen haben:

B: die Jedesmaligkeit des All-täglichen

A: anders: des Tag-täglichen ... eine Jedesmaligkeit, die das Sichaneinanderreihen der Tage, zugleich aber auch ihre Gewöhnlichkeit zusammenfaßt ...

B: ... und auf namenlose Weise das Durchfließen der Zeit und des Wortes *mit*erfaßt ...

A: ... in die Chrono-logie des All-tags ...

B: ... ich würde sagen: in gesichtslose Chronologie des Alltags.

H (zu sich selbst): Die Zugehörigkeit des Wortes und der Zeit kann man nicht ohne weiteres in eine Chronologie zwängen. In *Sein und Zeit* hat sich Heidegger gerade hier verfangen. Der Herausstellung der Zeitlichkeit der Rede wurden nur anderthalb Seiten eingeräumt. Heidegger beginnt mit der Feststellung, daß sich die Rede im Vergleich zu den anderen Konstituenten des Daseins – dem Verstehen, der Befindlichkeit und dem Verfallen – nicht in einer bestimmten Zeitekstase zeitigt. Später gab er zu, die Sprache konstituiere primär das Vergegenwärtigen, das er zuvor als das primäre Konstituens des Weltverfallens bezeichnet hatte. Daß die Problematik des Zusammengehörens von Wort und Zeit nicht ausreichend geklärt wurde, beeinträchtigte auch die hermeneutische Logik selbst, die im nie geschriebenen dritten Abschnitt des ersten Teils von *Sein und Zeit* ausgearbeitet werden sollte.

A: Die Gestaltlosigkeit wird zur platten Mattheit, ein wahrer Gegensatz zur tiefen Dunkelheit der Nacht.

B: Der Alltag stellt als dieses „Tag für Tag" eine Nachtlosigkeit her …

A: … die keinen Schlaf zuläßt …

B: … die Schlaflosigkeit ist aber keine eigentliche Wachsamkeit – nämlich für das Geheimnisvolle, das die Nacht in sich birgt und das in der Offenbarkeit des Tages noch verborgen bleibt.

A: Jetzt sind wir dem großen Schauen in die Leere des Nichts auf der Spur.

B: Ob dieses Schauen schon eine echte Wachsamkeit oder bloß Schlaflosigkeit ist, ist mir noch nicht klar. Wie geht das mit dem zusammen, was sich dem Ver-nicht-en des Alltäglichen ver-schreibt?

A: Um das einzusehen, muß man in die Lichtung dieses Schauens rücken.

B: Was nur selten und kaum einem gelingt.

A: Im erwähnten Dialog *Phaidros* wird dies als eine Reise in die Gefilde der Unverborgenheit dargestellt. Hier befindet sich das unmittelbare Zeugnis für das griechische Verstehen der *aletheia* als eines Gegenzuges zur *lethe*. Dem Streben der Seele, sich dem Ort zu nähern, wo „die Gefilde" der Unverborgenheit sich befinden, widersetzt sich etwas, „weil ihr [der Seele] die Kraft fehlt nachzufolgen, [weil sie] das Wahre nicht sieht und, durch irgend ein Mißgeschick, das sie betrifft, von Vergessenheit und Schlechtigkeit erfüllt, niedergedrückt wird und niedergedrückt das Gefieder läßt und auf die Erde fällt …".

B: Platon erzählt auch, daß die Seele, die die Unverborgenheit niemals erschaut hat, keinen Menschen bewohnen kann.

A: Natürlich möchte ich auch an den Mythos von Er erinnern, den Platon am Schluß seiner *Politeia* wiedergibt. Das Menschliche, das der Held Er darstellt, ein „Pamphylier von Geburt", wird wieder aus dem Wesensaufenthalt in der *aletheia* erfahren, in der Unverborgenheit bzw. der Unvergessenheit, aber diesmal nicht als ein Seelenzug in die Gefilde der *aletheia*, sondern als ein Übergang über das Feld der Lethe, den Fluß des Vergessens: „… sie [seien] sämtlich durch furchtbare Hitze und Stickluft hindurch auf das Feld der Vergessenheit gekommen. Da sei nun nichts von Bäumen und all dem gewesen, was die Erde trägt. Hier hätten sie nun nach schon angebrochenem Abend an dem Flusse Sorglos gelagert, dessen Wasser kein Gefäß zu halten vermag. Notwendig müßten nun freilich alle ein gewisses Maß von diesem Wasser trinken; die aber durch Vernunft sich nicht wahren ließen, tränken über jenes Maß, und wer immerfort davon tränke, der vergesse alles".

B: Die Lehre, die wir daraus entnehmen können heißt: Man soll sich mit Philosophie beschäftigen …

A: um glücklich den Fluß Lethe zu überqueren …

B: … merkwürdig gesagt: Sorglosigkeit als Wasser, das kein Gefäß zu halten vermag – vielleicht zeigt eben dies ins Ver-nicht-en des Alltäglichen.

A: Möglich.

B: Trotzdem vermißt man bei Platon die eigentliche Erfahrung der *lethe*.

A: Dadurch wird auch die *aletheia* verdrängt. Platon denkt sie stets in Hinblick auf die völlige Transparenz, die *die Idee* ermöglicht.

H (für sich): Zeichnet sich nicht dadurch die Pracht des Europäischen aus? Oder sollte man anerkennen, daß sich darin seine Pracht *befand*? Steht Europa überhaupt noch etwas Großes bevor, nicht im Sinne einer planierten Zukunft, sondern im Sinne dessen, was sich in seinem Ankommen noch entzieht?

B: Wie steht es mit der Transparenz dessen, was Sie das Schauen in die Leere des Nichts nannten?

A: Die Leere gibt da die Fülle – das Nichts schenkt das Sein.

B: (schweigt, erstarrt)

A: (folgt seinem Schweigen)

B: Solches ist mir schon widerfahren. Zuerst war kein Licht zu sehen, nichts Helles, keine Klarheit, bloß mattes Widerspiegeln, das sich aber steigerte, bis es, einem Wirbel gleich, alles in sich zog. Doch ist alles so geblieben, wie es war. Eigentlich begann es sogar erst dann zu bleiben. Das Schauen in die Leere des Nichts ist so, als ob man sich ent-, weg-blitzte aus dem *Versteck*spiel, im Spiegel der Welt bliebe aber alles plötzlich so, wie es ist.

A: Jetzt beschreiben Sie das Unbeschreibliche ...

B: Unbeschreiblich in dem Sinne, daß es nicht von der Weise des Ver-nicht-ens des All-Tages aus beschrieben werden kann.

A: Zugleich bedeutet dies den Tagesanbruch des Alltags, der uns gewöhnlich sein *Auseinander-Schneiden* an den Tag bringt.

B: Ich hätte Lust zu erfahren, was sich hinter diesem Tagesanbruch verbirgt ...

A: ... bloß die Spur dessen, was sich entzieht dadurch, daß es den Blick heranbringt.

B: Was bleibt also,

A: bleibt in einem Auseinander-Rücken der *Zeit, das eine Spur hinterläßt*, und des *Wortes, das zu sehen gibt*.

B: Dieses Auseinanderrücken sind von jeher wir selbst.

A: In dem Einst, das im Vergleich zu der Ordnung des Alltags *außer*-ordentlich bleibt, verbirgt sich das Zusammenspiel von Wort und Zeit.

B: Und wir nennen es?

A: Geschichte.

B: Ihr Aufspüren,

A: Ihr Bemerken.

„Resnica" als slawisches Wort für Wahrheit

I. Der interkulturelle Aspekt der philosophischen Terminologie und der Begriffsgeschichte

Der Anlaß dieses Beitrags war zunächst die Abhandlung von Wilhelm Goerdt[69] über *pravda* und *istina* als slawische Worte für Wahrheit. Darin wird vom Verfasser ein weiteres slawisches Wort für Wahrheit nicht eigens angegeben, *resnica*, das nur noch in der slowenischen Sprache lebendig ist und dessen Präsenz in mancher Hinsicht auf die Problematik der slawischen Terminologien hinweist. Einen weiteren Anlaß – in begriffsgeschichtlicher Hinsicht – lieferte ein Brief Hans-Georg Gadamers anläßlich der Übersetzung einiger seiner Schriften ins Slowenische, in dem er unter anderem folgendes feststellte: „So erkenne ich mit Bedauern, daß ich selber die Zielsprache Ihrer Arbeit und überhaupt aller slawischen Sprachen mir nicht angeeignet habe. Das wird eine jüngere Generation im kommenden Jahrhundert nachholen müssen, zumal wir Deutschen in unserer eigenen Bildungsgeschichte vor allem von der russischen Romanliteratur geprägt worden sind. Aber leider habe ich noch gar keine Vorstellung, wie ihre Sprache wirklich klingt und wie ihre Gedichte klingen."

Dieses Bekenntnis Gadamers veranlaßte mich, über die Möglichkeit der Begegnung der germanischen, romanischen und slawischen Sprachen nachzudenken, eine Begegnung, deren Realisierung zwar schon oft, jedoch nur in begrenzter Form und ohne jede tiefgreifende geistesgeschichtliche Auswirkung in Angriff genommen worden ist. Der äußere Grund dafür lag in der politischen Spaltung Europas nach dem Zweiten Weltkrieg. Es scheint aber, daß eine solche europäische geistige Begegnung auch von der Philosophie nicht zum Gegenstand gemacht worden ist. Andererseits ist es offensichtlich, daß gerade hier eine große Chance für die *Begriffsgeschichte* liegt, die seit den letzten Jahrzehnten nicht mehr nur eine philosophische Hilfsdisziplin darstellt; ihre Entwicklung ist vielmehr ein wesentlicher Bestandteil der Entwicklung der Philosophie selbst geworden. Die Begriffsgeschichte läßt sich somit nicht mit der Geschichte der philosophischen Terminologie gleichsetzen, wenn letztere nur als ein Sonderbeispiel der wissenschaftlichen Terminologie betrachtet wird, die gleichgültig gegenüber ihren geistesgeschichtlichen Voraussetzungen ist.

Die zunehmende Bedeutung der begriffsgeschichtlichen Forschung hat erhebliche wissenschaftliche und kulturelle Folgen für das Verständnis der Philosophie überhaupt. Aus der begriffsgeschichtlichen Perspektive wird einerseits die *interdisziplinäre* Dimension der philosophischen Forschung deutlich. Ein vielleicht noch wichtigerer Punkt ist andererseits, daß das Interesse für die Begriffsgeschichte insbesondere in einer Zeit zunimmt, in der die Philosophie sich ihrer möglichen *interkulturellen* Wirkung unmittelbar bewußt wird. Für die notwendige kritische Betrachtung der Globalisierungsprozesse sind diese beiden Aspekte, die *Interdisziplinarität* und die *Interkulturalität*, unentbehrlich. Die Globalisierung wirkt sich dabei einerseits erheblich auf das moderne Selbstverständnis des Menschen aus, andererseits ist sie zugleich nur eine Konsequenz der Entwicklung des von der Philosophie maßgeblich beeinflußten europäischen Selbstverständnisses.

---

[69] Wilhelm Goerdt , „PRAVDA. Wahrheit (ISTINA) und Gerechtigkeit (SPRAVEDLIVOST)", in: *Archiv für Begriffsgeschichte* 12 (1968), S. 58-85.

Allein die Tatsache, daß die Philosophie in ihrer geschichtlichen Entwicklung stets interkulturelle Auswirkungen hat, ist für die gegenwärtige interkulturelle Diskussion in der Philosophie bzw. in den Geisteswissenschaften überhaupt von besonderer Bedeutung. Ich bin sogar davon überzeugt, daß der Philosophie in der gegenwärtigen gesellschaftlichen Situation aufgrund ihrer geschichtlichen interkulturellen Wirkmächtigkeit eine besondere Rolle als Orientierungshilfe für die heutigen Menschen zukommt.

Die Entwicklung der Philosophie zeigt uns, daß der ‚interkulturelle Sinn' nicht ein Produkt unserer Zeit ist. Er ist vielmehr geschichtlich entstanden. Bei dieser Entstehung eines interkulturellen Sinns gibt es sowohl einen innereuropäischen als auch einen außereuropäischen Aspekt. Einerseits entwickeln sich zunächst in Europa und später allmählich auch auf der ganzen Welt unterschiedliche Philosophien. Andererseits hat jedoch die Philosophie stets Kontakte mit anderen Denk- und Kulturtraditionen gepflegt. Auch die Idee einer europäischen Identität ist ursprünglich aufgrund einer solchen Begegnung zwischen der griechischen und der jüdisch-christlichen Tradition entstanden. Für die Gegenwart sind die Beziehungen zwischen den einzelnen Nationalkulturen besonders interessant, durch die im Verlaufe der Geschichte eine Art geistiges Netz entstanden ist, das eine allmählich wachsende europäische Grunderfahrung der *Verschiedenheit in der Einheit* herausbildet.

Somit ist auch die Unterscheidung zwischen dem *abendländischen* und dem *morgenländischen* Denken zweideutig. Denn sie bezieht sich einerseits auf die Abgrenzung der Philosophie von der ostasiatischen Tradition und andererseits auf die Trennung innerhalb der europäischen Philosophie selbst, wobei der abendländischen Variante der Philosophie ein gewisser Vorrang eingeräumt wird.

Es wäre wohl verfehlt, der abendländischen Philosophie imperialistische Ansprüche und eurozentrische Tendenzen zuzuschreiben. Solche Ansprüche und Tendenzen lassen sich zwar nicht leugnen, aber es wäre unangemessen, sie deshalb abzulehnen und ihr emanzipatorisches interkulturelles Potential zu bestreiten. Schließlich hat sich die Philosophie zugleich als fähig erwiesen, sich mit ihren eurozentrischen Tendenzen kritisch auseinanderzusetzen.

Schon zu Beginn der Philosophie bei Plato eröffnet sich die Möglichkeit einer dialogischen Form der Philosophie. In ihrer Geschichte hatte sie sich bereits einen europäischen Gedankendialog erschlossen, bevor sie sich ihn ausdrücklich aneignete. Zumindest seit einem Jahrhundert läßt sich in der Philosophie erneut das Bemühen um einen geschichtlichen Dialog beobachten. Das maßgebende Zeichen für seine Erschließung ist die bei Husserl, Scheler, Heidegger, Gadamer und zuvor bereits bei Nietzsche – um hier nur einige Denker zu nennen – thematisierte *Krise Europas*.

Gadamer hat schon früh darauf hingewiesen, daß die aktuelle Diskussion der europäischen Idee vorrangig dem Zweck dient, den konstitutiven Aspekt der Verschiedenheit hervorzuheben: In erster Linie ist damit die sprachliche Verschiedenheit beim Aufbau Europas in seinem dritten Jahrtausend gemeint. Obwohl die gesellschaftliche Entwicklung gegenwärtig zu einer Sprachvereinheitlichung zu tendieren scheint, hat die Philosophie (um so nachdrücklicher!) darauf zu bestehen, daß die Kommunikation unter den Einzelnen und den Gruppen, den großen und kleinen Nationen, den Minderheiten und den Mehrheiten nur bei der Anerkennung der Verschiedenheit und der Begegnung innerhalb dieser Verschiedenheit Früchte tragen kann. Jede andere Haltung in dieser Frage kann schwerwiegende Folgen haben, die Europa im letzten Jahrhundert bereits auf eine Bewährungsprobe gestellt und sich auf seiner Landkarte erheblich ausgewirkt haben.

Sicherlich läßt sich ohne Übertreibung behaupten, daß die Erforschung von Sprach-unterschieden im Falle der slawischen Sprachen besonders interessant und aufschluß-reich sein kann. Auf diesem Gebiet ist bisher relativ wenig gearbeitet worden: weder im Sinne einer vergleichenden Analyse der verschiedenen slawischen philosophischen Ter-minologien noch im Sinne einer umfassenden Untersuchung des Verhältnisses zwischen den slawischen, germanischen und romanischen philosophischen Terminologien.

Eine besondere philosophische Bedeutung solcher Forschungen liegt wohl darin, daß sie eine unentbehrliche Grundlage für die Übersetzung der klassischen philosophi-schen Texte, insbesondere aus dem Griechischen und Deutschen ins Slowenische sind. So wurde auch bei der slowenischen Übersetzung des Heideggerschen Werks *Unterwegs zur Sprache* vorgegangen, das, insofern in ihm dem verbalen Wortgebrauch der Vorrang vor dem nominalen gegeben ist, den Möglichkeiten der slawischen philosophischen Be-griffsbildung besonders nahe ist.[70] Diese umfassende bzw. sprachlich-geschichtliche Vorgehensweise beim Übersetzen philosophischer Texte kann auch interessante philoso-phische Probleme aufwerfen, die nicht nur die Sprache, sondern auch das Verstehen der Kultur und der Menschheit überhaupt betreffen.

II. Slawische philosophische Terminologien

Die slawischen philosophischen Terminologien haben ihre gemeinsame Grundlage im sogenannten altkirchenslawischen Schrifttum, das sich seit dem 9. Jh. herausgebildet hat und dessen Entstehung im Zusammenhang mit dem Wirken der Brüder Kyrillos und Methodos steht. Von Bedeutung ist dabei wohl die Tatsache, daß der erstere Philo-sophie lehrte und sogar den Beinamen *Philosoph* erhielt. Das Altkirchenslawische hatte seine Grundlage in einer in der Umgebung von Saloniki gesprochenen Mundart und hatte daher auch eine enge Verflechtung mit der griechischen Sprache und der geistigen Kultur, deren unumgänglicher Bestandteil eben die Philosophie war. Dies wirkte sich im Grunde auch auf die Bildung der aktkirchenslawischen philosophischen Termini aus, die auf den von der östlichen christlichen Glaubenstradition vermittelten griechischen philo-sophischen Inhalten beruhten. Deswegen sind in Abhängigkeit von der Entfernung vom Zentrum des altkirchenslawischen Schrifttums auch einige grundsätzliche Unterschiede zwischen den slawischen philosophischen Terminologien erkennbar.

Die Erforschung der Entstehung der altkirchenslawischen Terminologie erfuhr ins-besondere in den letzten zwei Jahrzehnten einen Aufschwung, wobei hier vor allem zwei Werke des kroatischen Philosophen und Slawisten Anto Knežević *Filozofija i slavenski jeziki* [Philosophie und slawische Sprachen] (Zagreb 1988), und *Najstarije slavensko filozofsko naziv-lje* [Die ältesten slawischen philosophischen Termini] (Zagreb 1991) hervorzuheben sind, in denen der gesamte Forschungsstand auf diesem Gebiet berücksichtigt wird. Das Haupt-merkmal der altkirchenslawischen Terminologie im Vergleich zu den romanischen und germanischen Terminologien liegt darin, daß sie auf der Grundlage einer unmittelbaren Übersetzung aus dem Griechischen und nicht durch eine lateinische Vermittlung entstan-

---

[70] In der slawischen Sprache ist z. B. (wie im Lateinischen) die unmittelbare Substantivierung durch die bestimmten Artikel nicht möglich. Daneben ist der selbständige Gebrauch von Verben möglich, z. B.: *dežuje* = „Es regnet", *delam* = „Ich arbeite".

den ist. Die große Bedeutung dieses geistesgeschichtlichen Vorgangs wird besonders durch die Übersetzung des Urworts der griechischen Sprache und des griechischen Denkens mit *Slovo* deutlich, das bis heute sein reiches Bedeutungspotential beibehalten hat. Eben aufgrund dieser Übersetzung des griechischen *logos* mit *Slovo* kann behauptet werden, daß die altkirchenslawische Übersetzung der griechischen philosophischen Terminologie eher dem gemeinten Sinn als der wörtlichen Bedeutung nach erfolgte. Als zentrale Schrift aus dieser Zeit wird eine Theodor von Raithu zugeschriebene und in das Sammelwerk *Svjatoslav's* aufgenommene Abhandlung zum Kategorienproblem bei Aristoteles aus dem Jahr 1073 angeführt, die das zweitälteste erhalten gebliebene Denkmal der altslawischen Literatur darstellt (unmittelbar nach dem *Ostromir-Evangelium* aus dem Jahr 1056; ursprünglich handelt es sich dabei um die Abschrift einer Sammlung von Übersetzungen für den bulgarischen Zaren Simeon, die um 920 entstanden ist).

Einzelne slawische philosophische Terminologien entwickelten sich im Mittelalter im Rahmen allgemeiner politischer, gesellschaftlicher, religiöser und kultureller Umstände. Eine Beschreibung dieses Prozesses würde ohne Zweifel eine umfassendere kulturgeschichtliche Erforschung erforderlich machen, die nicht nur die slawische Welt erfassen würde. Im Gegenteil, sie müßte auch die Begegnung mit der germanischen und der romanischen Welt berücksichtigen, die vielleicht noch immer zu sehr als politische und ideologische Vorherrschaft gesehen wird. Aus einer philosophischen Perspektive stellt sich hier die Frage nach dem *Telos* Europas, das gerade durch die begriffsgeschichtliche Erschließung der Entstehung sogenannter Nationalsprachen erkennbar wird. Denn man kann die Behauptung wagen, daß die Ver-selbst-ständigung der Nationalsprachen ein Spezifikum Europas ist, dessen Einheit nicht von einem Zentrum aus diktiert wird und im Grunde auch konflikthaft sein kann, jedoch auf eine Art und Weise, daß Gegensätze akzeptiert werden müssen, soll die Einheit nicht zerfallen. Es ist wohl eine eigene Frage, welche Rolle dabei die ,kleinen' europäischen Nationen spielen, deren Identität das ,Große' im ,Kleinen' bestätigt und die Idee Europas als Einheit in der Verschiedenheit mitkonstituiert.

III. Slowenische philosophische Terminologie

Obwohl man von einer systematischen Entwicklung der slowenischen philosophischen Terminologie erst seit der zweiten Hälfte des 19. Jhs. sprechen kann, als man mit der Veröffentlichung originärer philosophischer Werke in slowenischer Sprache beginnt, reicht ihr geschichtlicher Ursprung in noch frühere Zeiten zurück, denn die ersten slowenischen Entsprechungen für einige philosophische Grundbegriffe sind bereits in den *Freisinger Denkmälern* aus dem 10. Jh., den ältesten schriftlichen Quellen der slowenischen Sprache, zu finden.[71] Ein noch vollständigeres Bild liefert das protestantische Wörterbuch von Hieronymus Megiser aus dem Jahr 1592. Diese Terminologie ist jedoch bisher nicht systematisch rekonstruiert worden.

Im 19. Jh., der Zeit der nationalen Erneuerungsbewegung, läßt sich ein großer

---

[71] Vgl. *Freisinger Denkmäler*, hg. von Rudolf Trofenik, München 1968.

Einfluß anderer slawischer Sprachen auf die Entwicklung der slowenischen philosophischen und wissenschaftlichen Terminologie erkennen.[72] Einen bedeutenden Beitrag dazu haben zweifelsohne auch die in Europa einflußreichen Slawisten Jernej Kopitar (1780-1844) und Fran Miklošič (1813-1891) geleistet. Obwohl die Autorität dieser beiden slowenischen Philologen bei der Ausarbeitung der Allgemein- und Spezialwörterbücher der slowenischen Sprache im ganzen 20. Jh. nahezu unumstritten war, haben sich der panslawistischen Ausrichtung von Miklošič am Ende des 19. und im 20. Jh. diejenigen slowenischen Philologen entgegengestellt, die sich die Bereinigung der slowenischen Sprache von überflüssigen Slawismen zur Aufgabe gemacht hatten. Dies wirkte sich auch unmittelbar auf die gleichzeitige Entstehung der slowenischen philosophischen Terminologie aus, die ihren Höhepunkt in den Werken des neuscholastischen Philosophen Aleš Ušeničnik (1868-1952) und in den Arbeiten des aus der Meinong-Schule der Gegenstandstheorie stammenden Philosophen France Veber (1890-1952) findet.

Teilweise haben sich Slawismen erhalten, wobei einige der in den Wörterbüchern aus der Mitte bzw. vom Ende des 19. Jh. noch genannten philosophischen Termini in der modernen slowenischen Terminologie nicht länger zu finden sind (*soštvo, jestvo* für „Sein"). Oft kommt es auch zu Verdoppelungen (*reč, stvar* für „Ding"). Es kommt auch vor, daß ein gewisser, schon länger nicht mehr gebrauchter Terminus wieder auflebt, insbesondere in den Übersetzungen von griechischen, Hegelschen und Heideggerschen Texten. Einen besonderen Aspekt der slowenischen philosophischen Terminologie bilden die Wörter, die sich noch aus dem Urslawischen erhalten haben und die in der späteren Entwicklung durch das Altkirchenslawische nicht verdrängt worden sind. Aus eben diesem Grund, und auch wegen der außerordentlichen Vielfalt der Mundarten, war das Slowenische für philologische Forschungen interessant (Baudin de Courtenay). Auf die Altertümlichkeit des Slowenischen weist auch die Tatsache hin, daß hier der Dual, die Zweizahl, erhalten geblieben ist. Und aus dem Urslawischen stammt auch der Terminus *resnica* für Wahrheit im Slowenischen.

IV. ‚Resnica' als slawisches Wort für Wahrheit

A. Lexikalische Merkmale

Von W. Goerdt werden in der anfangs erwähnten Abhandlung zwei Bezeichnungen bzw. Termini für Wahrheit, *istina* und *pravda*, untersucht. Diese zwei Termini sind auch im Slowenischen zu finden. Der erstere hat insbesondere in der steirischen Mundart die Bedeutung „Wahrheit", wobei dem letzteren die Bedeutung „Gerechtigkeit" zukommt. Im allgemeinen wird im Slowenischen aber das Wort *resnica* für Wahrheit verwendet, das für eine vergleichende Analyse der slawischen philosophischen Terminologien besonders aufschlußreich ist und dessen Betrachtung zudem auch einen interessanten begriffsgeschichtlichen Aspekt verdeutlichen kann.[73] Das Wort *resnica* hat sich im Slowenischen

---

[72] Am besten wird dieser Zustand durch das Werk *Znanstvena terminologija* [Wissenschaftliche Terminologie] von Matija Cigale aus dem Jahre 1880 belegt.

[73] Die slawischen Sprachen kennen noch ein viertes Wort für Wahrheit, welches etymologisch dem deutschen Wort „Wahrheit" entspricht und dem Bedeutungskontext von *vera* („Glaube") zugehört, so zum Beispiel das Wort *wěrnosć* in der sorbischen Sprache.

aus den altslawischen Zeiten erhalten, denn der Einfluß des Altkirchenslawischen auf die slowenische Sprache war relativ beschränkt und das Wort *resnica* konnte somit durch *pravda* und *istina* nicht verdrängt werden. Ähnlich hat das Slowenische das Wort *reč* in der Bedeutung von „Ding" beibehalten. Zugleich wird im Slowenischen im 19. Jh. unter dem Einfluß anderer slawischer Sprachen auch der Terminus *stvar* in der Bedeutung von „Ding" bzw. „Sache" häufig verwendet, der einen altkirchenslawischen Ursprung hat. Die beiden Termini sind mit verschiedenen Vorstellungen von „Ding" bzw. „Sache" verbunden. Der Terminus *reč* hat den gleichen etymologischen Ursprung wie das Verb *rekati* („sagen") – beispielsweise bedeutet im Kroatischen der Terminus *riječ* „Wort". *Reč* ist somit zunächst etwas, was gesagt bzw. durch das Sagen verursacht wird. Der Terminus *stvar* leitet sich vom Stamm *tvoriti* („bilden") ab und hat zunächst die Bedeutung von *creatura*. Ähnlich unterschiedliche Bedeutungsvorstellungen verbinden sich auch mit den slawischen Bezeichnungen *istina* und *pravda* für Wahrheit. Die letztere verbindet sich vor allem mit den Begriffen *pravica* („Recht") und *pravičnost* („Gerechtigkeit"), die erstere aber mit der „Wirklichkeit dessen, was ist" und „Identität" (*isto* = „dasselbe", „gleich").[74] Dabei ist es aber eine viel schwierigere Aufgabe, das Bedeutungsfeld von *resnica* im Vergleich zu *istina* und *pravda* zu bestimmen.

Aus diesem Grund sollen im folgenden die Formen, in denen das slowenische Wort *res* („wahr") vorkommt, und sein etymologisches Bedeutungsfeld angegeben werden.

Res („wahr") begegnet in folgenden Formen:

resnica – Wahrheit
resnično – wahr, das Wahre, wahrhaft, wahrlich, wirklich, tatsachlich
neresnica – Unwahrheit
neresnično – unwahr
resničnost – Wahrhaftigkeit, Wirklichkeit, Tatsächlichkeit
neresničnost – Unwahrhaftigkeit, Unwirklichkeit
resničnosten – wahrhaftig
neresničnosten – unwahrhaftig
resničica – kleine Wahrheit
resničiti – wahr werden
resničnik – Wahr-Mensch, d. h. ein wahrhaftiger Mensch
zares – wahrlich
preres – allzuwahr
uresničiti – verwirklichen, realisieren
uresničenje/uresničevanje – Verwirklichung, Realisation
uresničevalec/uresničevalka – Realisateur, Verwirklicher/in, eine Person, die etwas realisiert
uresničitelj/uresničiteljica – Realisateur (Verwirklicher)
uresničen – verwirklicht, realisiert
uresničljiv – realisierbar

---

[74] Siehe hierzu insbesondere W. Goerdt, PRAVDA, a.a.O. [Anm. 1] 59 ff., und Anto Knežević: *Filozofija i slavenski jeziki* [Philosophie und slawische Sprachen], Zagreb 1988, 93-118.

uresničljivost – Realisierbarkeit
neuresničljiv – nicht realisierbar
uresničen – verwirklicht, realisiert
neuresničen – nicht verwirklicht, nicht realisiert
uresniti se – ernst werden
uresničba – Verwirklichung
uresničenje – Verwirklichung
uresničevalstvo – Realisation
uresničitven – Realisierungs-, Erfüllungs-
oresničiti – verwirklichen
zaresno – wirklich, wahrhaftig, ernstlich
zares – wahrlich, in der Tat, wirklich
zaresnost – Ernstlichkeit, Wahrhaftigkeit, Wirklichkeit
neresen – nicht ernst, unernst
neresnost – Unernst
neresnež – ein unernster Mensch
zresniti – ernst werden (machen)
zresniti se – ernst werden
resnoba – Ernst
resnobnost – Ernsthaftigkeit
resnobnež – ein ernster Mensch
resnost – Ernsthaftigkeit
praresnica – Urwahrheit
praresničnost – Urwirklichkeit
resnicoljubnost – Wahrheitsliebe
resnicoljuben – wahrheitsliebend
resnež – ein ernster Mensch
resnicoslovje – Wahrheitslehre
resničenje – wahr werden
resničevati – wahr werden
resničiti – wahr werden
resnobiti se – ernst werden
resnoduhovit – streng-witzig
resnogled – ernstblickend
resnomil – streng-mild
resnook – ernstäugig
resnostremeč – ernstlich strebend
resnotajen – streng geheim

In Maks Pleteršniks *Slowenisch-deutschem Wörterbuch* werden noch folgende, in modernen slowenischen Wörterbüchern nicht mehr vertretene Formen angegeben:

resnoten – ernst
resnovit – ernst
izresnobiti se – ernst werden

poresniti – bewahrheiten, verwirklichen, bejahen, bestätigen, versichern
poresničiti/poresničevati (se) – wahr machen, sich bewahrheiten
zaresničiti – jemanden etwas (mit Worten) versichern
zarešnji – wirklich, wahrhaftig
resniti – behaupten
resnitev – Behauptung
resnogled – ernst blickend
resnota – Ernst

Diese Beispiele zeigen, daß *res* sowohl in der Bedeutung einer subjektiven als auch einer objektiven Wahrheit vorkommt und somit zur Beschreibung sowohl psychologischer als auch realer Sachverhalte dient und darüber hinaus sowohl das logische als auch das wirkliche Sein in einem statischen und dynamischen Aspekt zum Ausdruck bringt. Das Bedeutungsfeld von *resnica* läßt sich dennoch nur schwierig von *istina*, dagegen aber leichter von *pravda* abgrenzen, dem Terminus also, der nicht primär im Bedeutungsfeld „Wirklichkeit" vorkommt, so wie umgekehrt die Wahrheit nicht im Bedeutungsfeld der „Gerechtigkeit" erscheint. Der rechtlich-soziale Bedeutungskontext von *pravda* steht sozusagen im Gegensatz zum psychologischen und auf den Charakter bezogenen Kontext von *resen* und *resnoba*. Auch im Fall der *istina* fehlt dieser Bedeutungskontext von „Ernst". Man muß sich bei diesen Überlegungen jedoch bewußt sein, daß Charakterisierungen wie „psychologisch", „logisch", „rechtlich-sozial" u. ä. geschichtlich entstandene Kategorien sind, durch die die ursprüngliche, einheitliche Grundbedeutung eher verborgen wird. Man hat es somit nicht nur mit der philologischen Frage zu tun, was *resnica* als Bezeichnung für „Wahrheit" ursprünglich bedeutet, sondern auch mit der philosophischen Frage, was Wahrheit ursprünglich bedeutet. Diese beiden Fragen können sich miteinander verbinden, aber auch getrennt betrachtet werden. Hier sind sie daher zunächst getrennt zu erörtern, um sie anschließend – wenn möglich – miteinander verbinden zu können.

B. Etymologische Merkmale

Das etymologische Wörterbuch der slowenischen Schriftsprache[75] gibt für *res* den altslawischen etymologischen Stamm *rěskrъ an und bestätigt somit die Verwandtschaft mit den litauischen Stämmen *raiškùs* = „offenbar", „klar", „verständlich", *réikšti, réškiu* = „verkünden", „bekannt machen", *ryškùs, riškùs* = „klar", „offenbar", „aufschlußreich", „überzeugend". Auf diese Verbindung weist auch das *Etymologische Wörterbuch der slawischen Sprachen* von Miklošič hin.[76]
Der etymologische Stamm *rěskrъ wird auch durch eine etymologische Spezialanalyse von Fran Ramovš bestätigt, der zu dem Ergebnis kommt, daß das Adverb *rés* wohl „zu denken gibt, ob darin nicht eine ursprünglichere durch das Formans -*no*- noch

---

[75] France Bezlaj: *Etimološki slovar slovenskega knjižnega jezika*, Bd. 3: P-S, ergänzt und hg. von Marko Snoj und Metka Furlan, Ljubljana 1995, S. 173.

[76] Fran Miklošič, *Etymologisches Wörterbuch der slawischen Sprachen*, Wien 1886, S. 278.

nicht verbreitete Form zu suchen ist. Diese Annahme stößt jedoch sofort auf Widerstand, denn ausgehend von dem ursprünglichen *rěsk- läßt sich nicht einsehen, warum das -k verschwunden ist, was nur in der Gruppe -skn hat geschehen können." [77]

Im slowenischen etymologischen Wörterbuch werden auch die altkirchenslawischen Formen rěsnъ = „verus", „rectus", rěsnota = „veritas", sorbisch kirchenslawisch rěsnьnotivъ = ‚verus', urěsnьniti = „confirmare", russisch kirchenslawisch resnój = „vere", resnotá = „veritas" angegeben. Wichtig ist auch das Adverb réska = „a propos" in der auf der kroatischen Insel Cres gesprochenen cakauischen Mundart, wodurch – wie von Peter Skok im *Etymologischen Wörterbuch der kroatischen oder serbischen Sprache* hervorgehoben wird – „der Beweis dafür geliefert wird, das dieses Wort einst so wie im Slowenischen gelebt hat". [78] In demselben Wörterbuch wird auch die Form resnost in der Bedeutung von resno, pravo und das Adverb resan im Plural resni sveti (=Ratschläge) angegeben (*Vatikaner Gebetbuch* aus dem 15. Jh.). Die Form rěsnikъ in der Bedeutung „Medizinmann", die im *Gesetzbuch des Zaren Dušan* aus dem 14. Jh. vorkommt, ist nicht ausreichend belegt.

Das slowenische Wort für Wahrheit kommt in dem ältesten, von H. Megiser 1592 herausgegebenen Wörterbuch der slowenischen Sprache vor, und zwar in den Formen risniza = „veritas", resnizhen = „verax", resnoba = „severitas", resnou = „severus". Der verifizierte Zusammenhang mit dem litauischem raiškus weist auf die ursprüngliche Bedeutung „offenbar" hin, was insofern von Bedeutung ist, als dadurch weder eine objektive noch eine subjektive Bedeutung von Wahrheit prädisponiert wird und somit zu Recht angenommen werden kann, daß das slowenische Wort resnica für die Wahrheit auf eine ursprüngliche Erfahrung der *Offenheit* dessen hinweist, was mit der und als die Wahrheit erfaßt wird. Und eben in dieser Hinsicht ist auch die philosophische Anwendung von Wahrheit im Slowenischen interessant, die sich aber nicht so sehr auf ihre etymologische Herkunft, sondern vielmehr auf ihren alltäglichen Sprachgebrauch stützt.

C. Philosophische Merkmale

Die philosophische Anwendung der Termini resnica, resnično und resničnost weist auf einige Besonderheiten hin, die terminologisch zu erörtern wären und in der bisherigen Entwicklung der slowenischen Philosophie und in der Begriffsbildung auch schon berücksichtigt worden sind. Aus der Perspektive der Begriffsanalyse fällt auf, daß in der slowenischen Philosophie die Begriffe istina und istinost gegenüber resnica und resničnost nur in besonderen Fällen verwendet werden.

Wie bereits erwähnt, findet man das Wort resnica schon in H. Megisers *Dictionarium quatuor linguarum* (Deutsch-lateinisch-slowenisch-italienisches Wörterbuch) aus dem Jahre 1592. Das *Slowenisch-deutsche* und *Deutsch-slowenische Handwörterbuch* von A. Murko von 1832/33 gibt für „Wahrheit" außer resnica auch istina an. Auch im Werk *Znanstvena terminologija* (Wissenschaftliche Terminologie) von M. Cigale von 1880 wird für „wahr" sowohl resničen als auch istinit angegeben. In dieser Hinsicht ist Anton Alois Wolfs *Deutsch-slowe-*

---

[77] Fran Ramovš, „Slovensko. rês ‚verum'", *Časopis za slovenski jezik, književnost in zgodovino* III/1–2 (1921), S. 46.

[78] Peter Skok, *Etimologijski rječnik hrvatskoga ili srpskoga jezika*, Bd. 3, Zagreb 1973, S. 131.

nisches Wörterbuch von 1860 strenger, in dem *istina* als ein serbisches und russisches Wort angegeben wird. Diese Angabe ist jedoch nicht ganz richtig, da es das Wort *istina* auch in der slowenischen südoststeirischen Mundart gibt, was auch durch Maks Pleteršniks *Slowenisch-deutsches Wörterbuch* aus dem Jahre 1894 belegt wird, das zu Recht als das beste Wörterbuch der slowenischen Sprache gilt. Dieses Wörterbuch gibt auch eine Besonderheit bei der Anwendung des Wortes *istina* im Slowenischen an, und zwar die Bedeutung von „Stammkapital", denn *Istinar* bedeutet soviel wie „Kapitalist".

Was in dieser Hinsicht die philosophischen Werke anbelangt, so haben wir es mit einer besonderen Anwendung des Wortes *istina* bzw. *istinitost* bei slowenischen Philosophen zu tun, die aus dem steirischen Sprachgebiet stammen, wo das Wort *istina* auch in der Umgangssprache vorkommt. Diese Philosophen versuchen jedoch ihre Anwendung dieses Wortes auch philosophisch zu rechtfertigen. Im folgenden gilt es herauszufinden, warum ihnen das Wort *resnica* als unzureichend erscheint. Diese Untersuchung wird uns im Zusammenhang mit der lexikalischen und der etymologischen Charakteristik zu der spezifischen Bedeutung von *resnica* als slawisches Wort für Wahrheit führen.

Ein starker Einfluß darauf, daß in der wissenschaftlichen Terminologie von M. Cigale die Termini *istina* und *resnica* parallel vorkommen, kann wohl dem Philosophen Janko Pajk (1837-1899) zugeschrieben werden, der selbst aus dem steirischen Sprachgebiet stammte und das Wort *istina* dort in der Umgangssprache vorfinden konnte. Pajk war unter anderem auch als Sammler des Materials für Pleteršniks *Slowenisch-deutsches Wörterbuch* tätig; von noch größerer Bedeutung in philosophischer Hinsicht im engeren Sinne ist aber seine Mitwirkung bei der Gestaltung des Werkes *Wissenschaftliche Terminologie* von Cigale. Im Rahmen dieser Mitarbeit lieferte Pajk auch das wichtigste Dokument im Bereich der Bildung der slowenischen philosophischen Terminologie des 19. Jh.: *Doneski k filozofičnej terminologiji* (Beiträge zur philosophischen Terminologie). Dieser Artikel wurde 1881 in der Zeitschrift *Kres* als Zusatz zu Cigales *Wissenschaftliche Terminologie* veröffentlicht. Von Bedeutung ist auch, daß Pajk bei Miklošič und Bonitz studierte, was sich beträchtlich auf seine philologische und philosophische Vorgehensweise bei der Begriffsbildung auswirkte. Im oben erwähnten Artikel wird somit „v *istini* (*resni*ci)" als eine Entsprechung für „in der Wirklichkeit" angegeben. Das läßt sich wohl damit erklären, daß Pajk sehr stark von kroatischen terminologischen Wörterbüchern beeinflußt war. Die Doppelanwendung der Termini *istina* und *resnica* in der Entwicklung der slowenischen Philosophie weist jedoch auch etliche philosophische Merkmale auf.

Ein lehrreiches Beispiel der gleichzeitigen Anwendung von *resnica* bzw. *resničnost* und *istina* bzw. *istinost* ist etwa die folgende Stelle im Lehrbuch der Logik von Karl Ozvald aus dem Jahre 1920: „Wahrhaftigkeit [*resničnost*] zeigt also zwei Seiten: die objektive, die am wirklichen [*istini*] Sachverhalt haftet, und die subjektive, die von einem Urteil getragen wird, durch das ein Sachverhalt im Gedanken aufgenommen wird. Die Hauptseite ist objektiv, und das ist die Tatsächlichkeit [*istinitost*] des Sachverhalts."[79] Ozvald scheint dazu zu neigen, mit *istinitost* die objektive Seite eines Sachverhalts zu bezeichnen, mit *resničnost* dagegen die subjektive. *Resnica* ist also zunächst die Wahrhaftigkeit eines Urteils, das nur insoweit wahrhaftig ist, als es mit der Tatsächlichkeit (*istinitost*) des Sachverhalts zusammenfällt. Diese

---

[79] Karl Ozvald, *Logika. Uvod v znanstveno mišljenje* [Logik. Einführung ins wissenschaftliche Denken], Ljubljana 1920, S. 35.

Unterscheidung, die in Ozvalds *Logik* an keiner Stelle explizit ausformuliert ist, wird durch folgende Aussage belegt: „Die Wahrscheinlichkeit, durch die die Möglichkeit eines Sachverhalts angenommen wird, verhält sich zu dieser Möglichkeit so, wie die Wahrhaftigkeit [*resničnost*] zur Tatsächlichkeit [*istinitost*] des Sachverhalts. Für die Wahrscheinlichkeit ist nämlich die Obergrenze Wahrhaftigkeit [*resničnost*], für die Möglichkeit ist dies Tatsächlichkeit [*istinitost*] und für die Annahme Gewißheit. *Es ist also derjenige Sachverhalt möglich, von dem mit berechtigter Wahrscheinlichkeit angenommen wird, er sei bzw. er sei so und so.* Eine Urform für den jeweiligen quantitativen Grad eines Urteils bilden die Wörter ‚gewiß‘ [*gotovo*], ‚wahrhaft‘ [*zares*], ‚tatsächlich, wirklich, in der Tat‘ [*v istini*].“[80]

Die Unterscheidung *resničnost – istinitost* läßt sich zwar nicht vollständig mit dem Wortpaar „Wahrhaftigkeit“ – „Tatsächlichkeit“ ins Deutsche übersetzen. Die Übersetzung findet sich aber bei dem Meinong-Schüler und vor dem Zweiten Weltkrieg führenden slowenischen Philosophen France Veber. Veber setzt *resničnost* mit *pravilnost* („Richtigkeit“) gleich: „Subjektivität, bzw. Objektivität im gegenwärtigen Sinne ist also auch von erkenntnistheoretischer Natur, und sie erscheint doch nur in der geistigen Sphäre, indem sie als größere oder kleinere ‚Richtigkeit‘ bzw. ‚Nichtrichtigkeit‘, ‚Wahrhaftigkeit‘ [*neresničnost*] bzw. ‚Nichtwahrhaftigkeit‘ [*neresničnost*] irgendeiner Erfassung vorkommt.“[81] *Istinitost* wird dagegen von Veber mit *faktičnost* („Faktizität“) gleichgesetzt (auch im Sachregister des genannten Werks kommen diese zwei Wörter synonym vor): „In diesem Sinne läßt sich die dazugehörige Objektivität bzw. Subjektivität der Erfassungsobjekte bereits aufgrund dieser Ausführungen über die Erkenntnis und den Irrtum mit deren *Faktizität* [*faktičnost*] oder *Tatsächlichkeit* [*istinitost*] bzw. *Nichtfaktizität* [*nefaktičnost*] oder *Untatsächlichkeit* [*neistinitost*] gleichsetzen und die dazugehörige Objektivität bzw. Subjektivität der *Erfassung* selbst mit ihrem oben genau umrissenen Merkmal, daß sie, insofern sie überhaupt zugleich Erkenntnis und Irrtum, zugleich richtig und nicht richtig sein kann, entweder aus der bezeichneten Faktizität [*faktičnost*] oder Tatsächlichkeit [*istinitost*] ihres Objekts oder aus den durchaus sekundären und allein psychologisch-biologischen Faktoren im zuständigen Subjekt stammt.“[82]

Es ist dabei von Bedeutung, daß Veber in seinem Werk *Znanost in vera* von 1923 nicht *resnica* („Wahrheit“), sondern *spoznanje* („Erkenntnis“) als Gegenbegriff zu *zmota* („Irrtum“) anführt: „Nicht nur in der Wissenschaft, sondern auch im Alltagsleben werden unzählige Male Gedanken gefaßt, denen man den Charakter der ‚Richtigkeit‘ oder ‚Nichtrichtigkeit‘, kurz, der Erkenntnis und des Irrtums gibt.“[83] An einer anderen Stelle wird die Gegenüberstellung „Wahrhaftigkeit“ – „Unwahrhaftigkeit“ relativiert: „Nur derjenige, der irgend etwas mit Überzeugung denkt, erkennt oder irrt sich, indem jeder unwahre Gedanke, d. h. ein Gedanke ohne Überzeugung, schon grundsätzlich außerhalb dieses Gegensatzes steht. Aus diesem Grund ist auch ein Romancier nicht für irgendwelche ‚Wahrheit‘ [*resnica*] oder ‚Nichtwahrheit‘ [*neresnica*] der Gedanken verantwortlich, die man

---

[80] Ibid., 58.

[81] France Veber, *Problemi sodobne filozofije* [Probleme der gegenwärtigen Philosophie] Ljubljana 1923, S. 235.

[82] Ibid., 236.

[83] France Veber, *Znanost in vera* [Wissenschaft und Glaube], Ljubljana 1923, S. 24.

beim Lesen und Erfassen seines Romans hat [...].“[84] Die Termini *istinost* und *faktičnost* findet man in diesem Werk nicht im Sachregister. Mit Bezug auf die erörterte Unterscheidung zwischen der Wissenschaft und dem Glauben wird dennoch eine „grundsätzliche Unbekannte der Welt und des Lebens“, „ein wirkliches und inhaltlich unbekanntes X gesetzt, das schlechthin zu postulieren ist, soll sich der Unterschied zwischen Erkenntnis und Irrtum nicht in Rauch auflösen.“[85]

In seinem letzten philosophischen Werk *Vprašanje stvarnosti* aus dem Jahr 1938 setzt sich Veber noch einmal mit der Unterscheidung zwischen *faktičnost* bzw. *istinitost* und *stvarnost* auseinander (letzteres wird von ihm in der Zusammenfassung des Buches als „Wirklichkeit“ übersetzt). In Anmerkung 102 ist folgendes zu lesen: „Nur unser *wirkliches Gefühl* macht auch unserem *Verstand* seine gesamte dreifache Funktionsweise möglich, nämlich besonderes ‚verstandesmäßiges‘ Feststellen des *Wirklichen* [dejansko], *Möglichen* und *Unmöglichen*. Deswegen konnte und mußte ich schon in meiner ‚Knjiga o Bogu‘ [Das Buch über Gott] die ganze besondere und auf dem verstandesmäßigen Wege *selbst* erworbene ‚Gültigkeit‘ und ‚Nichtgültigkeit‘ insbesondere auf die ‚*istinitost*‘ [Tatsächlichkeit] selbst und daher auf die *verstandesmäßige* Form jetzt gedachter *stvarnost* [Wirklichkeit] stützen.“[86]

Es gilt dabei hervorzuheben, daß Veber in Phrasen wie *vera v resnico* („Glaube an die Wahrheit“)[87] u. ä. vom gängigen Gebrauch des Wortes *resnica* abweicht. Auch in einer seiner letzten Schriften, der Rezension der Dissertation von Fra Pandić über das Problem der Wahrheit bei Martin Heidegger aus dem Jahr 1943, verwendet er den Terminus *resnica*, wobei er interessanterweise Heidegger eine eher logische Ausrichtung in der Philosophie zuschreibt und sich selbst eher psychologisch ausgerichtet sieht, dem apriorischen Ansatz Heideggers seinen aposteriorischen gegenüberstellt und der Philosophie Heideggers vorhält, „daß die Wahrheit, auch die reinste, uns, den Menschen zugängliche Wahrheit, ihre primäre Grundlage in der Erfahrung und nur in der Erfahrung hat.“[88]

Heideggers Konzept der „Wahrheit“ bzw. der Seinswahrheit hat insbesondere seit Mitte der sechziger Jahre eine breite Rezeption erfahren. So hat der Literaturtheoretiker und Philosoph Dušan Pirjevec (1921-1977) Anfang der siebziger Jahren versucht, das wichtigste Werk Vebers, die *Estetika* [Ästhetik] von 1925, aus dem Horizont des Seinsdenkens Heideggers neu zu deuten. Seine zentrale Aufmerksamkeit widmet er dabei genau dem Veberschen Begriff *faktičnost/istinitost* und versucht in diesem Zusammenhang auch, seine Gleichsetzung von *resnica* mit *pravilnost* in dem oben erwähnten Werk *Znanost in vera* zu rechtfertigen: „Es hat sich also recht schnell herausgestellt, daß es schwieriger ist, zwischen dem Irrtum und der Erkenntnis einen Unterschied zu finden, als man im Alltag annimmt, deswegen ist es auch mit der Wahrheit [*resnica*] viel schwieriger und dieses Wort ist so mehrdeutig, daß es bei einer eingehenden Analyse fast nicht anzuwenden ist, ja, man soll die Analyse sogar ohne es beginnen, denn es soll sich erst allmählich

---

[84] Ibid., 25.

[85] Ibid., 205.

[86] France Veber, *Vprašanje stvarnosti* [Die Frage der Wirklichkeit], Ljubljana 1939), S. 438.

[87] France Veber, *Problemi sodobne filozofije* [Probleme der gegenwärtigen Philosophie], Ljubljana 1923, S. 3.

[88] France Veber, »Nova disertacija iz filozofije« [Eine neue Dissertation aus der Philosophie], in: *Slovenec* 14 (1943), 3.

zeigen, was Wahrheit [*resnica*] in Wirklichkeit bedeutet […]. Deswegen ist es durchaus gerechtfertigt, wenn Veber anstatt des Wortes *resnica* [Wahrheit] und *resničnost* [Wahrhaftigkeit] den Ausdruck *pravilnost* [Richtigkeit] anwendet."[89] Verteidigt wird auch Vebers Anwendung der Bezeichnung *faktičnost/istinost*, die darauf hinweist, daß die sogenannten echten Erlebnisse „nicht vom Subjekt, sondern vom Objekt herrühren".[90] Pirjevec findet es ferner besonders wichtig, daß *istinitost/faktičnost* bei Veber den Charakter einer transzendenten Unbekannten erhält, auf die sich jede Erkenntnis bezieht bzw. ohne die es gar keine Erkenntnis geben würde. Pirjevec versucht darin eine Dimension dessen wiederzuerkennen, was von Heidegger in Anlehnung an das Wort *aletheia* als Erschlossenheit des Seins gedacht wurde und was vielleicht als das „Wahre" nicht mehr einem Wahrheitskriterium unterliegt. Wie ernst diese Problematik von Pirjevec genommen wurde, zeigen seine posthum veröffentlichten Vorlesungen *Metafizika in teorija romana*, in denen er sich eingehender mit der Frage des Wortes bzw. des Namens für Wahrheit befaßt und in diesem Rahmen auch ein etymologisches Schema der Bezeichnungen für Wahrheit in den europäischen Sprachen gibt: *aletheia, veritas, Wahrheit, istina, resnica*, und dabei zusammenfassend feststellt: „Es muß uns klar sein, was diese *Etymologie* aufweist. Sie weist etwas *Unerwartetes* auf, sie zeigt, daß die in die erörterten Wörter hineingelegten Bedeutungen von *aletheia, veritas, Wahrheit, resnica* bis *istina* in keinem Zusammenhang mit unserer alltäglichen Auffassung der Wahrheit stehen, d. h. mit der Auffassung, die Wahrheit als *Übereinstimmung* (adaequatio) oder als *Richtigkeit* versteht. Im Gegensatz zu einer solchen Auffassung verweisen diese Wörter auf *Unverborgenheit, Klarheit, Gleichheit, Treue, Vertrauen, Glaube, Offenbarung*. Wir müssen also festhalten, daß von der etymologischen Analyse aufgewiesen wird, daß in den erörterten Wörtern eine besondere Auffassung der Wahrheit verborgen ist, und zwar eine Auffassung, die anders ist als die Ansicht, für die Wahrheit eine Übereinstimmung des Intellektes oder des *Geistes* mit der *Sache* ist, wobei es sich um eine *Behauptung* oder *Aussage* handelt, die in Übereinstimmung mit dem sein soll, worauf sie gerichtet ist. Deswegen muß man anerkennen, daß man nun zwei *Wahrheiten* vor sich hat: die eine ist die Wahrheit, die durch die etymologische Analyse entdeckt wird, und die andere ist die Wahrheit, die durch die bekannte *logische Definition* bestimmt wird: *veritas est adaequatio intellectus ad rem*, und die uns allgemein bekannt ist und immer als die einzige angewandt wird. Die andere, durch die etymologische Analyse zu erahnende Bedeutung des Wortes Wahrheit bleibt uns dabei beinahe unbekannt. Obwohl sie uns unbekannt ist, haben wir noch etwas anzuerkennen: Wir sind nämlich in eine ziemlich komplizierte *Situation* geraten, weil wir jetzt, wenn wir zwei Auffassungen der Wahrheit vor uns haben, nicht wissen, was eigentlich die *Wahrheit* ist, es ist uns nicht klar, für welche der beiden Auffassungen wir uns entscheiden sollen."[91]

Diese von Pirjevec getroffene Feststellung ist von Bedeutung, weil sie auf das philosophische Problem nicht nur der Etymologie des slowenischen Wortes für die Wahrheit,

---

[89] Dušan Pirjevec, *Estetska misel Franceta Vebra* [France Vebers ästhetischer Gedanke], Ljubljana 1989, S. 71.

[90] Ibid., 76.

[91] Dušan Pirjevec, *Metafizika in teorija romana* [Metaphysik und Romantheorie], Ljubljana 1992, S. 86-87. Besonders interessant im Zusammenhang mit den hier wiedergegebenen Überlegungen von Pirjevec ist auch die Studie von Hjalmar Frisk, „'Wahrheit' und 'Lüge' in den indogermanischen Sprachen. Eine morphologische Beobachtung", in: *Göteborgs Högskolas Årsskrift* XLI (1935), S. 3.

sondern auch der Etymologie der Wahrheit überhaupt hinweist, die in einem gewissen Gegensatz zu ihrer gängigen, eben von der Philosophie erarbeiteten Bedeutung stehen soll. Der slowenische Philosoph Tine Hribar, der den Einsichten von Pirjevec kritisch folgt, hat dieses Paradox pointiert in der Wendung, wir verfügten über keine Wahrheit der Wahrheit, zum Ausdruck gebracht.[92] Aber das würde bedeuten, daß die Frage nach der Wahrheit notwendig eine offene Frage bleibt.

Das Paradox der Wahrheit beschäftigte auch den Philosophen Ivan Urbančič, der sich mit den Überlegungen sowohl von Veber als auch von Pirjevec in den oben genannten Werken kritisch auseinandersetzt. Bei seinem Versuch, zum ursprünglichen seinsgeschichtlichen Sinn der Wahrheit zu gelangen, führt er erneut die Unterscheidung zwischen *istina* und *resnica* ein: „So bekennt das Wort *istina* die wesentliche Wahrheit, deren griechischer Name *aletheia* lautet und die von unserem Wort *resnica* im gängigen und überlieferten philosophischen Gebrauch nicht gemeint wird. Aus diesem Grund ist *istina* nicht Wahrheit in diesem Sinne, sondern vielmehr deren Ursprung und besagt zugleich *istost* [das Selbe] und *istenje* [„Selbigung"] – wie Vereinigung oder Liebe –, was weder von unserem Wort *resnica* noch vom griechischen *aletheia* ausgedrückt wird, obwohl das dadurch Gesagte das Einigende selbst ist (das Heraklitische *hen, das Eine* gemäß der Erklärung im ersten Buch). Vereinigen bedeutet, das mannigfaltig Getrennte und Gegensätzliche zum Gleichen und Einen zusammenführen: daher auch *istiti* [„selbigen"]. Bei der Verwendung des Wortes *istina* handelt es sich also nicht nur um den Austausch des geläufigen Wortes *resnica* durch das überholte Wort *istina*, sondern auch um das Zum-Ausdruck-Bringen eines ursprünglichen, eigentlichen Geschehens: der Zusammenhang der Selbigkeit von Entbergung – Sein – Entborgenheit als das in sich bewegte Eine: das Einigende. Dieses Selbe der Fügung von *istina* entwirft den Menschen als ein Wesen von *istina*: den dadurch entworfenen Entwerfer und Beschützer von *istina* in seinen ihm gehörenden Worten und Taten. Gemäß der Geschichte seines derartigen Wesens ist der Mensch das Eigentum von *istina* und das von *istina* befreite eigentliche – freie *Wesen von ‚istina‘*. Aus dem oben Gesagten geht hervor, daß es beim Wort *istina* nicht um die Wiedererweckung eines überholten slowenischen Wortes geht, das an die Stelle von *resnica* – als eines Wortes des alltäglichen und literarischen Gebrauchs und als eines Terminus für den besten philosophischen bzw. metaphysischen Begriff der höchsten Würde der Vernunfterkenntnis – treten soll. Diese letztere ist seit dem Mittelalter als *Übereinstimmung* festgelegt worden."[93]

Urbančič verwendet das Wort *istina*, um dadurch das Faktum der Entbergung des Seins bzw. des „Selben" des Seins und seiner Entbergung zum Ausdruck zu bringen. Eine Grundlage dafür läßt sich in der etymologischen Wurzel von *istina* und *isto* finden: *es**, was dem griechischen *estin* bzw. dem deutschen „ist", „Sein" entspricht. Der Grund dafür, daß *resnica* dem Philosophen Urbančič als ungeeignet scheint, liegt wohl in der gängigen philosophischen Verwendung, bei der die ursprüngliche Bedeutung von *resnica* nur schwierig zu erkennen ist, die sich jedoch über das litauische Wort *raikšus* („offenbaren") rekonstruieren läßt.

[92] Tine Hribar, *Resnica o resnici* [Wahrheit von der Wahrheit], Maribor 1981.

[93] Ivan Urbančič, *Zaratustrovo izročilo* [Zarathustras Mahnung], Ljubljana 1996, S. 62.

Resnica sollte demnach ursprünglich das Faktum der Offenbarung und Eröffnung besagen. Die Wahrheit sollte – wie es das slowenische Wort für Wahrheit, *resnica*, bekundet – zunächst *das Offene* der Wahrheit bzw. *das Offene* selbst bedeuten. In dieser Hinsicht stellt sich freilich die Frage, ob *istina* zur Bezeichnung der Entbergung des Seins wirklich geeigneter ist. Bedenkt man Heideggers Hinweis, daß das Sein eher zur Entbergung als umgekehrt die Entbergung zum Sein gehört und daß das Sein eben wegen seiner Zugehörigkeit zur Entbergung Geheimnis bleibt, dann sollte man das Bedeutungspotential des Wortes *resnica* auf keinen Fall vernachlässigen, wenngleich diese Bedeutung im gängigen philosophischen Gebrauch verborgen ist und nicht zum Ausdruck kommt. Von Bedeutung ist in diesem Zusammenhang das bereits in seinem Werk *Sein und Zeit* eingeführte Wort „Lichtung" bei Heidegger.[94] Ernesto Grassi hat diesbezüglich auf seine noch ältere philosophische Herkunft hingewiesen. Dabei bezieht er sich auf G. Vico, der zu Beginn seines Werkes *Scienza nuova* feststellt, daß die ersten Städte auf Feldern gegründet wurden, die vom Heidenvolk *luci* („Lichtungen") genannt worden sind.[95] Im Slowenischen hat das Wort „Lichtung" seine Entsprechung in *jasa*; Lichtung wird in philosophischen Texten mit *jasnina* übersetzt; *jasen* entspricht dem litauischen *aiškus*. Weisen vielleicht die mit *jasen* verwandten Formen *iskra* (scintilla) und *iskren* (sincerus) auf einen Zusammenhang mit *resnica* hin?

Das wichtigste Ergebnis dieser Überlegungen ist das Wissen von der Offenheit der Wahrheitsfrage, das bei einer zu häufigen Berufung auf den „Wahrheitspluralismus" oft vergessen wird. Diese Erschlossenheit ist zweifach: Offenheit für die Wahrheit und Offenheit zur Wahrheit, und man könnte auch von einer Offenheit für die bzw. zur Offenheit sprechen. Und es scheint, daß wir heute darin noch immer bzw. sogar noch deutlicher als bisher den Sinn der Philosophie sehen können.

---

[94] Martin Heidegger, *Sein und Zeit*, GA 2, Frankfurt/M. 1977, S. 177.

[95] Ernesto Grassi, *Die Macht der Phantasie. Zur Geschichte des abendländischen Denkens*, Athenäum Königsten 1979, S. 251.

Die phänomenologische Frage nach der Weltlichkeit der Welt und die Hermeneutik des Interkulturellen

Sofern die Philosophie schon in ihrem Ausgangspunkt durch die Suche nach der Einheit in der Verschiedenheit bestimmt wird, läßt sich feststellen, daß Edmund Husserl im Rahmen seines phänomenologischen Philosophieentwurfs zu diesem Ausgangspunkt durch die erneute Erschließung der ursprünglichen philosophischen Aneignung der Einheit in der Verschiedenheit in der *intentionalen Bewußtseinsstruktur* zurückkehrte. Es geht um das bereits von Husserls Lehrer Franz Brentano in seinen Abhandlungen *Psychologie vom empirischen Standpunkt* formulierte grundlegende phänomenologische Faktum, daß Bewußtsein jeweils *Bewußtsein von etwas* ist, daß es das Bewußtsein gar nicht gibt, insofern es nicht ein Bewußtsein von etwas ist. Diese Formulierung impliziert auch schon eine Voraussetzung der Korrelation von Vernunft und Wahrheit, mit der sich Husserl auf der Grundlage der Erschließung der intentionalen Bewußtseinsstruktur ausdrücklich auseinandersetzen wird.

Auch in einem der ältesten philosophischen Fragmente, dem lehrreichen Gedicht von Parmenides *Über die Natur*, steht geschrieben, daß das Denken einer Sache und die gedachte Sache dasselbe sind, *tauton d' esti noein te kai houneken esti noema* (DK Frgm. 8). Platon stellte im Dialog *Sophistes* fest, daß das Vermögen einer artikulierten Rede eben dadurch bestimmt wird, daß sie Rede von etwas ist (*logos tinos*, 261c–263d). Und von Aristoteles wurde in seiner Abhandlung *Über die Seele* unterstrichen, daß die Wahrnehmung das Aufnahmefähige für die wahrnehmbaren Formen ohne den Stoff ist (424a 17), woran sich ausdrücklich auch Brentano anlehnt, der in dieser Hinsicht noch Augustin, Anselm von Canterbury und Thomas von Aquino anführt.

Es ist trotzdem festzustellen, daß sich die phänomenologischen Ausgangspunkte und Konsequenzen der Husserlschen Intentionalitätslehre erheblich von dem unterscheiden, was in dieser Hinsicht vom griechischen oder mittelalterlichen Denken geleistet wurde, sofern von ihnen bereits eine „Lehre" von der Intentionalität des Bewußtseins herausgebildet wurde, sowie von dem, was von Franz Brentano über die intentionale Inexistenz von Bewußtseinsgegenständen festgestellt wurde. Husserl ging nämlich von der Bewußtwerdung der modernen Krisis des europäischen Menschentums und der Anerkennung der Notwendigkeit ihrer Überwindung aus. Zu dieser Krise führten seiner Meinung nach die neuzeitliche Naturalisierung und Historisierung der Erkenntnis, von denen das, *was ist*, unkritisch vorausgesetzt wurde, wobei der intentionale Charakter der jeweiligen wesenhaften Gegebenheit für das Bewußtsein übersehen wurde. Die Erkenntniswahrheit ist gemäß der jeweiligen Ausrichtung der Erkenntnis auf das Erkannte stets in einer Korrelation von Bewußtsein und Sein gegeben. Dementsprechend wird in der Phänomenologie prinzipiell nicht mehr nach den subjektiven Bedingungen der Möglichkeit einer Welterkenntnis gefragt, denn jede Erkenntnis gilt als Welterkenntnis. In den Vordergrund tritt hier die Konstitutionsweise des Bewußtseins als eines Weltbewußtseins, wobei die Charaktere der *Weltlichkeit selbst* das Bewußtsein im Hinblick auf die Möglichkeit seiner intentionalen Erfüllung „bedingen". Es könnte sogar von einer zweiten kopernikanischen Wende bei Husserl gesprochen werden, die ihre kulturelle Dimension darin hat, daß sie die Konstituiertheit der primären Welterkenntnis erneut herstellt.

Husserl *ging* in seiner Philosophie nicht nur von einer anderen, krisenhaften Situation der europäischen Moderne *aus*, sondern *gelangte* auch zu einer anderen Kultur der philosophischen Erkenntnis, die durch den Versuch einer Bewältigung der Krise des modernen Menschentums geleitet wird. Keine Erkenntnis kann länger isoliert auftreten, sondern ist *a priori weltlich*. Die Weltlichkeit der Welt ist ein neues philosophisches Apriori jeder Erkennbarkeit, das als solches eine besondere philosophische Denkweise fordert, zugleich aber auch eine gründliche Umwandlung der „philosophischen Kultur" schlechthin, wie wir bereits im 20. Jahrhundert sehen konnten, und die noch weiterhin Aufgabe bleibt.

Insofern dieses neue Apriori im Sinne eines geschichtlichen Erneuerungsaspekts des philosophischen Denkens begriffen wird, erschließen sich hier wichtige *hermeneutische* Konsequenzen der Husserlschen Intentionalitätslehre, die bereits von Husserls Zeitgenossen und Freund Wilhelm Dilthey anerkannt wurden. Als ein älterer und renommierter Philosoph schrieb dieser Husserl das Verdienst zu, mit der Phänomenologie eine mögliche Methode der Geisteswissenschaften und der allgemeinen Kulturtheorie angedeutet zu haben, die ihn selbst einige Jahrzehnte beschäftigte und schließlich zu einer weitreichenden Umwandlung der Hermeneutik aus einer Kunst der Auslegung und des Verstehens führte. Weitere hermeneutische Konsequenzen wurden später auch von anderen Denkern gezogen, wie etwa von Max Scheler, Gustav Špet, Georg Misch, Hans Lipps, und – freilich am entscheidendsten – von Martin Heidegger sowie Hans-Georg Gadamer und Paul Ricœur. Wir haben es also mit einer sehr ausgeprägten philosophischen Strömung innerhalb der Philosophie des 20. Jahrhunderts zu tun, die eine breit angelegte Diskussion in Gang setzte, an der auch wichtige Vertreter der analytischen und strukturalistischen Philosophie, der Kritischen Theorie der Gesellschaft, des existenzialistischen Personalismus u.v.a.m. teilgenommen haben. In diese Diskussion wurden – das gewöhnliche, bloß historische Interesse übergreifend – auch „umstürzlerische" Denker des 19. Jahrhunderts wie etwa Marx, Kierkegaard, Nietzsche und Freud einbezogen. Es kann daher angenommen werden, daß wir vor einem großen, vielleicht sogar dem größten philosophischen Problem stehen, das nicht nur auf eine bestimmte philosophische Richtung beschränkt ist, sondern auf die gesamte gegenwärtige philosophische Situation, insofern in ihr die *Philosophie selbst* im Element ihres eigenen Logos sich *fraglich* geworden ist. Eben diese Fraglichkeit brachte sie zu einem *hermeneutischen Dialog*, der sich über unterschiedliche Modifikationen und auch Deviationen noch heute entwickelt und die geschichtliche Position der modernen Philosophie als ein *begründendes Gespräch* darstellt.

Auch die griechische Philosophie entwickelte zwar ihren Logos als Dialog – denken wir hier nur an Platon –, aber in ihrer Weiterentwicklung, insbesondere über die *Dialektik*, nahm die Logik der Erkenntnis dennoch über die Erkenntnis selbst überhand, was schließlich auch durch Nietzsche kritisch entlarvt wurde. Durch den hermeneutischen Dialog wird aber gerade im Gegenteil zur vorherrschenden *Logik der Erkenntnis* hervorgehoben, daß jede auf Wahrheit zielende Aussage bereits die Beantwortung einer Frage ist, und daß sich jede Erkenntnis aus dem Kennenlernen der Welt, also einem Welthorizont erschließt, wie er sich ursprünglich eben durch die Sprache selbst enthüllt. *Welt und Sprache* sind also Urdimensionen des hermeneutischen Dialogs. Wir kommen dazu unmittelbar durch die Husserlsche Enthüllung der Intentionalität, insofern wir diese Enthüllung zu ihrer Evidenz bringen, die eine nachdrücklich konstitutive ist, und zwar in Richtung der Anerkennung dessen, *daß das Sehen Erkenntnis möglich macht, wobei die Sprache nachdrücklich das ist, was zu sehen gibt.*

Worauf antwortet die philosophische Erkenntnis und wofür ist sie verantwortlich? Sie ist nicht nur einfach eine Erkenntnis, sie ist auch nicht eine methodisch entworfene Erkenntnis im Sinne der wissenschaftlichen Forschung, sondern eine wesentliche Erkenntnis, die aber nicht nur eine bloße Erkenntnis des Wesens von etwas ist, sondern eine Erkenntnis der Wesen selbst. Die philosophische Erkenntnis bedeutet – und daran knüpft Husserl seine Bezeichnung „Phänomenologie" an – *Wesensschau,* wie das suggestiv genug bereits von Platon und Hegel unterstrichen wurde. Der Husserlsche phänomenologische Aufruf „Zu den Sachen selbst!", den wir auch schon bei diesen beiden Denkern aus der Tradition vorfinden, ruft also zur Erkenntnis der Wesen selbst unter dem Motto der Problematik der Intentionalität auf, wobei wir uns aber nicht mehr im Rahmen der neuzeitlichen erkenntnistheoretischen Problematik bewegen. Die Intentionalität des Bewußtseins kann nicht in einer erkenntnistheoretischen Subjekt-Objekt-Relation erfaßt werden, denn sie ist ursprünglich aus sich selbst hinaus korrelativ, und es wird somit durch sie etwas strukturiert, was dem Subjekt und Objekt vorangeht, also der *Modus,* wie sich die Korrelation von Bewußtsein und Objekt selbst konstituiert. Der spezifische Charakter dieser konstituierenden Korrelation verweist uns auf den phänomenologischen Begriff des Phänomens als *Modus, wie sich mir etwas auf die Weise seiner Gemeintheit gibt.* Das Wort „Phänomen" hat in seinem Alltagsgebrauch zugleich die »objektive« Bedeutung einer Erscheinung (das bedeutet z. B. das Wort *phainomenon* in der griechischen Astronomie) und die „subjektive" Bedeutung eines Erlebnisses. Weder die eine noch die andere Bedeutung erfüllt den phänomenologisch auskristallisierten Begriff des Phänomens, der nicht aus einer beliebigen Bewußtseinseinstellung auf etwas bzw. aus einem bestimmten Erlebnisakt gewonnen worden ist, sondern aus der intentionalen Einstellung des Bewußtseins als solchem, das das Wesen selbst einsieht, indem es etwas *als solches* meint. Durch die Art und Weise, wie etwas gemeint wird, wird unmittelbar das bestimmt, was gemeint wird. Der phänomenologische Begriff des Phänomens kann auch in der formalen Bestimmung von *etwas als solches* bzw. von *etwas als etwas* gegeben werden, die in der Philosophie schon seit Aristoteles bekannt ist, bei dem die zentrale Frage aller Philosophie als Frage nach dem *on he on* (Met. 1164a 28) formuliert wurde. Eben in der Anknüpfung an die klassische Seinslehre wird Heidegger hervorheben, daß die Phänomenologie nicht das Seiende beschreibt, sondern das Sein des Seienden[96] zur Sprache bringt. Die Unterscheidung zwischen Sein und Wesen ist in der phänomenologischen Anschauung nicht mehr tragend, bedeutsam wird vielmehr der Unterschied zwischen dem, was in der Intentionalität gemeint wird, und der Art und Weise, *wie* das gemeint wird, wobei das Gemeinte nicht getrennt von der Art und Weise der Gemeintheit betrachtet werden kann. Etwas kann sich nur im Modus seiner Gemeintheit geben, wobei diese Gemeintheit jedoch nicht etwas Bewußtes ist, sondern den Modus dessen charakterisiert, was vom Bewußtsein gemeint wird, insofern es gemeint wird.

Besonders zu erwähnen ist der *neutrale* (in der ursprünglichen Bedeutung des lateinischen *ne-uter:* weder das eine noch das andere) Status des so eingesehenen Wesens im Sinne des „als solchen", also des phänomenologischen Phänomens, das weder eine subjektive bewußtseinsmäßige noch eine objektive reale Gegebenheit ist, aber dennoch

---

[96] Martin Heidegger, *Sein und Zeit*, GA 2, Frankfurt/M. 1977, S. 47.

die Erkenntnis für das Erkannte und umgekehrt *wesenhaft* erschließt. Auf dieser Grundlage kann vom realen Dasein der Gegenstände der phänomenologischen Forschung „abgedacht" werden, was freilich nicht eine Negation der Objekte und der Objektivität der Erkenntnis bedeutet, wie der Phänomenologie unberechtigterweise oft vorgeworfen wird. Das Objekt und die Sachen können nur so aufkommen, daß auch das Subjekt und Bewußtsein „ihnen beitreten"; dieses korrelative „in-die-Szene-treten" ist nur möglich, wenn diese Szene schon *vorher zwischen den beiden besteht*. Das Apriori gibt es also weder im Subjekt noch im Objekt, weder im Bewußtsein noch in den Gegenständen, sondern *zwischen* ihnen, und es darf weder erkenntnistheoretisch noch ontologisch verstanden werden, sondern *ereignishaft*, als ein Modus des *Übergangs*. Eben in ihn muß sich das phänomenologische Denken einbetten, das sich gerade deswegen als ein *Denken im Übergang* und damit als ein *vermittelndes Denken* zeigt. Seine Vermittlung erfolgt nicht über den Begriff, sondern sie geht durch die Mitten dessen, was es unmittelbar als Welt umgibt. Von Husserl wurde es auf die Art und Weise einer eigenartigen „Einklammerung" als Ereignis begriffen und mit dem griechischen Terminus *Epoché* bezeichnet.

Der philosophische Gebrauch dieses Terminus ist schon bei den griechischen Skeptikern und in der griechischen Astronomie bekannt. Mit seiner Übernahme in die Phänomenologie wurde von Husserl erneut der *Stiftungsursprung* der griechischen und damit auch der europäischen Geistigkeit und Kultur selbst aufgenommen. Am offensichtlichsten ist das in einer der einflußreichsten kulturphilosophischen Schriften Husserls bekundet worden, nämlich in seinem Wiener Vortrag mit dem Titel *Die Krisis des europäischen Menschentums und die Philosophie*, wo er im Rahmen einer Betrachtung des praktischen und theoretischen Lebens bei den Griechen unterstreicht, daß die „unter *Epoché* von aller Praxis erwachsende Theoria (die universale Wissenschaft) dazu berufen wird [...] in einer neuen Weise der Menschheit, der in konkretem Dasein zunächst und immer auch natürlich lebenden, zu dienen. Das geschieht in Form einer neuartigen *Praxis*, der der universalen Kritik alles Lebens und aller Lebensziele, aller aus dem Leben der Menschheit schon erwachsenen Kulturgebilde und Kultursysteme [...]".[97] Von der *Epoché* wird laut Husserl auch der interkulturelle Aspekt dieser griechischen Stiftung des europäischen Geistes miterfaßt: „So eingestellt, betrachtet er vor allem die Mannigfaltigkeit der Nationen, die eigenen und die fremden, jede mit ihrer eigenen Umwelt, die ihr mit ihren Traditionen, ihren Göttern, Dämonen, ihren mythischen Potenzen als die schlechthin selbstverständliche wirkliche Welt gilt".[98] Das verlangt wohl eine eingehendere Erörterung.

Die *Epoché* wurde von Husserl im Zusammenhang mit der Möglichkeit der Hervorhebung des intentionalen Charakters des Bewußtseins eingeführt, der in seiner *gewöhnlichen* bzw. *natürlichen Einstellung* – wie das von Husserl mit gutem Grunde gesagt wird – verhüllt ist, insofern nämlich das Bewußtsein sich selbst seine besondere *weltliche Natur* verhüllt. Im Spiel ist also die unseren Grundhabitus bildende Wesentlichkeit der Welt. Durch den Ausdruck „natürliche Einstellung" wird hervorgehoben, daß diese Einstellung uns sozusagen *angeboren* ist, durch die Natur gegeben und *als solche* zugleich *in die Vergessenheit gedrängt*, worin der Grund dafür liegt, daß wir ihr auch verfallen.

---

[97] Edmund Husserl, Die *Krisis des europäischen Menschentums und die Philosophie*. Mit einer Einführung von Bernhard Waldenfels, Weinheim 1995, S 41.

[98] Ibid., S. 46.

Aber zugleich sind wir ihr in dem Sinne aus-geliefert, daß wir uns selbst *mit* in sie über-liefern, mit-teilen. Das Paradox dieses ursprünglichen Traditionssinnes als *über-liefernd-mitteilende Auslieferung* reicht so tief wie die Erinnerung an ihr Vergessen. Diese Vergessenheit ist nicht bloß eine unter vielen bewußtseinsmäßigen Vergessenheiten; durch sie wird vielmehr die Voraussetzung des gesamten Bewußtseins und des Ganzen des gemeinten Seins umfaßt. Husserl spricht so in den *Ideen I* von der „Generalthese des Seins", die mir Gewißheit bringt, daß diese Welt für mich eben diese von mir gemeinte Welt ist, die mir also das Bewußtsein der *Identität* gibt. Dies ist wiederum keine „leere Identität", sondern eine solche, die *stets gewohnt* und eben durch diese *Gewohntheit* vergessen wird. Hier ist die Zusammengehörigkeit des slowenischen Wortes *pozabitev* (Vergessen) mit *bit* (Sein) oder des kroatischen Wortes *zaborav* mit dem Verb *boraviti* (wohnen) in seiner Wurzel wohl illustrativ. Es geht um das *an-gewohnte* Vergessen der *Gewohnheit der Welt*, des Seins in demjenigen ursprünglichen Sinn, den auch der Name der griechischen Göttin *Hestia* verrät. Im Russischen bedeutet das Wort *byt* auch den „Alltag", in dem wir uns selbst Tag für Tag vergessen, und in dem sich die Einheit der Welt in eine Einförmigkeit umwandeln kann.

Unsere Versenkung in die Welt betrifft nicht nur dasjenige, was zur Gewohnheit wird, vielmehr ist alles, was uns als das gilt, was ist, schon in diese Urgewohnheit des Seins, und damit unseren grundlegenden Brauch, übergangen.[99] Dieser Zustand kommt auch im griechischen Wort ηθος zum Ausdruck, das ursprünglich „Wohnort" (Homer bezeichnet damit auch Wohnstätten der Tiere), Dasein als „Daseinsweise" bedeutet und – wie bereits von Aristoteles in der *Nikomachischen Ethik* (1103a) angedeutet – an das Wort ετος, „Gewohnheit", „Brauch" anknüpft. Wir nähern uns hier zweifellos einer Auffassung der Kultur als einer „zweiten Natur", an der der Mensch teilhat, an. Eben durch diese Verschiebung des Sinnes der Natur im griechischen Sinne von *physis* (die Wurzel *bhu* bedeutet soviel wie „Sein") vollzieht sich die *epoche* (Geschichtlichkeit), indem sich die Welt „im Ganzen" zugleich zeigt und verhüllt. Die *physis*, die Natur, hat somit auch die Bedeutung eines wesentlichen Ursprungs der Welt, die in einer epochalen Stimmung wie etwa dem philosophischen Staunen erstrahlt.

Naturalisierung und Historisierung der Erkenntnis, die laut Husserl zur Krise der europäischen Wissenschaften führten, haben paradoxerweise ihren Ursprung in der Verkennung der Tendenz des Lebens selbst, sein Meinen (*doxa*) in den Bedeutungen zu vergessen, wodurch eben seine „Identität" hergestellt wird. Eine bloße Theorie kann diese doxische Tendenz des Lebens selbst jedoch nicht aufheben, und sie hat das Leben stets zu berücksichtigen, wenn sie sich nicht an dessen Tendenz vergehen will, was zu einer Nichtbeachtung des Lebens bzw. seiner Tendenz zur Selbsterfüllung in der Welt führt. Aufschlußreich in dieser Hinsicht ist zweifelsohne das griechische Wort für Wahrheit – *aletheia* –, das unmittelbar auf eine epochale Stiftung hinweist.

Eben dieses epochale Apriori macht es uns möglich, die ziemlich abstrakte Bestim-

---

[99] „Konstitutiv für den Menschen ist dabei die oft übersehene Tatsache, daß er sich von Geburt an aufgrund seiner leiblichen Verfassheit in und an einer vorgegebenen Raum-Zeit-Stelle vorfindet: Der Mensch ist, ob er es will oder nicht, zunächst in einen Ort hineingezwungen, der ihm als seine ihn bergende und schützende Welt allererst die Möglichkeit zur Entfaltung seiner Person gibt." (Karen Joisten, *Philosophie der Heimat – Heimat der Philosophie*, Berlin 2003, S. 39.)

mung der Bewußtseinsintentionalität in einem Sinn von Stiftung als den *Urbrauch der Welt* zu betrachten, der das Wesen der Kultur überhaupt bestimmt und die *Natur* als Ursprung *miterfaßt*. Es betrifft also wesentlich die Welt zwischen uns und die Welt im ursprünglichen Sinne, insofern sie sich uns hier von sich her zeigt. Die phänomenologische Epoché, die Einklammerung, kann somit auf das Phänomen der Kultur appliziert werden, insofern diese eine *weltliche Dimension der Inter*kulturalität impliziert. Jede Kulturidentität wird affiziert durch das Vergessen der *Welt* der eigenen Identität, der Mitte, die sie durch ihre Vermittlung in das Andere anders und für andere zugänglich macht.

Das Bewußtsein der Identität – insofern die Welt für es „arbeitet" – bildet sich immer *inmitten des Anderen*, also in der Vermittlung heraus, und nicht in der Identität des Bewußtseins, was seinem intentionalen Wesen entspricht – *es ist nicht die Welt die Folge der Intentionalität des Bewußtseins, sondern dieses ist stets eine Tendenz in der Welt* und somit eine Spur der Welt. Dies macht es uns möglich, daß wir uns in Hinsicht auf die mögliche Konstitution der Weltlichkeit der Welt nicht vorläufig einer Reduktion auf das transzendentale Bewußtsein oder das transzendente Sein bzw. – in der Sprache der Erkenntnistheorie gesagt – auf das Subjektive oder Objektive zu bedienen brauchen. Das Konstitutionsproblem der Weltlichkeit der Welt konzentriert sich auf die *Mitteilbarkeit der Weltmitte* selbst.

Es gilt also, den Umstand vor Augen zu haben, daß das „Weltbewußtsein", das zugleich eine „Kulturidentität" ist, im Grunde durch das Faktum der Vergessenheit bestimmt wird und dadurch wesenhaft in die Welt übergeht. Die phänomenologische Analyse hält sich eben an diesem *Übergang* auf, durch den das Bewußtsein wesenhaft in die Welt fällt, ihr verfällt und auch ausfallen und zerfallen kann; sie kann sich aber aus dieser Welt auch auf- und erheben und über sie erhaben werden. Insofern in der Immanenz des Bewußtseins und seiner „psychologischen Zustände" nirgends die Wesen zu finden sind, die etwas *als* etwas zeigen, ist eine wesentliche Modifikation des Bewußtseins selbst aus seiner natürlichen Einstellung in die phänomenologische erforderlich, in der das Bewußtsein zu einer *ausdrücklichen* Welt wird, sich als *Ausdrücklichkeit* der Welt erweist. Worin liegt nun diese Änderung, die sich über die *Epoché* vollzieht? Man könnte sie, Husserl folgend, als eine Wende in die Reflexion von intentionalen Akten verstehen, wodurch jedoch nahegelegt würde, daß es sich bei dieser Einstellungsänderung um eine Reduktion des Seins *auf* das Bewußtsein handelt. Bei der Änderung seiner gewöhnlichen Einstellung ist auch das Bewußtsein selbst „reduziert" und „eingeklammert" bzw. – sofern von der Immanenz des Bewußtseins ausgegangen wird – es tritt aus seiner vermeintlichen Selbstbezüglichkeit heraus.

Das „Bewußtsein" ist stets *am Übergang inmitten von etwas,* und eben das sollte die Änderung seiner Einstellung in die phänomenologische Einstellung deutlich machen. Wenn Husserl in den *Ideen I* behauptet, daß durch die Methode der Einklammerung des realen Daseins der gemeinten Gegenständlichkeit, d. h. durch die phänomenologische *Epoché*, die Welt nicht negiert wird, sondern umgekehrt ausdrücklich, dann läßt sich auch sagen, daß das Bewußtsein selbst durch eine solche Änderung wesenhaft in die Welt *übertritt,* und daß es sich somit bei dieser Änderung um ein freies Übergehen des Lebens selbst handelt. Das heißt, daß sich das Leben des Bewußtseins in der Welt *erfüllt*, indem sich ihm die Welt zugleich *erschließt*. Die phänomenologische Modifikation des Bewußtseins ist offensichtlich kein Reflexionsakt im gewöhnlichen Sinne der

Reflexion, denn das Bewußtsein würde durch ihn nicht aus der Welt heraus-, sondern von ihr weg- und abtreten.

Wir brauchen eigentlich gar nicht mehr mit dem Begriff Bewußtsein zu operieren; der späte Husserl stellt den Begriff „Lebenswelt" in den Vordergrund, und Heidegger führt den Begriff des „Daseins" ein. Aber wegen dieser terminologischen Verschiebungen, die noch heute eine Herausforderung für jede Interpretation bilden, darf man die Verfolgung der Phänomene nicht vernachlässigen, wo sie aufgrund der *Epoché* ausdrücklich zu solchem *als die Welt* geworden sind. Man kann sehen, wie das Phänomen der Welt trotz der ausdrücklichen Gerichtetheit der Husserlschen philosophischen Forschung auf die Transzendentalität des Bewußtseins oder der Heideggerschen auf die Transzendenz des Seins in der gegenwärtigen Phänomenologie in den Vordergrund getreten ist. Von der phänomenologischen Epoché aus gilt somit, eben diese *Ausdrücklichkeit* der Welt, die *Sagbarkeit* der Welt, als eine Art Identität inmitten der Verschiedenheit zu behalten, in der sich das Leben erfüllt, *indem sich die Welt erschließt*. Die phänomenologische Epoché ermöglicht, daß wir über die Welt sprechen, indem sie die Welt sprechen läßt, und deswegen können wir in ihr die Erschließung des Zwischen-seins einer hermeneutischen Zwie-sprache sehen, der für eine interkulturelle Situation typisch ist, insofern sich diese aus einer Welt-mitte erschließt, in der wir uns begegnen und verständigen, indem wir sie miteinander teilen und in ihr (mit)wirken. Durch die phänomenologische Epoché wird eben die Welt-mitte erschlossen, in der sich die Einheit und Verschiedenheit im Eröffnen der Begegnungsmöglichkeit berühren. Die Weltmitte als dieser Begegnungs- und Berührungspunkt ist keine Voraussetzung der Vernunft, sie ist vielmehr der Ausgangspunkt desjenigen Vernehmens, gemäß dem wir alle die Welt miteinander teilen und in ihr (mit)wirken. Das ist das Vernehmen des *Verstehens der Welt und der Verständigung in ihr.*

Mit dem Begriff der Welt hängen offenbar so viele Bedeutungen zusammen, daß die „Welt" eher als ein Berührungspunkt von Bedeutungen zu betrachten als einer bestimmten Bedeutung zuzuordnen ist: Die Welt ist sowohl Natur als auch Kultur, die Welt sind sowohl wir als auch die anderen, die Welt ist Geschichte und System, sie ist die Welt der Kindheit und die Welt der Werte. Die Welt ist einfach alles. Das alles ist die Welt und dennoch nichts mehr als das. Und wie steht es mit dem *Phänomen* der Welt? Ist die Welt schlechthin das Phänomen aller Phänomene? Also ein Urphänomen? Aber ist die Welt überhaupt ein Phänomen in dem oben angedeuteten Wesen von etwas als etwas? Das Phänomen der Welt kann nämlich nicht in der formalen Struktur von *etwas als etwas* erfaßt werden, insofern die *Weltlichkeit* durch dieses *als* selbst phänomenhaft bestimmt wird. Wenn wir sagen, daß die Welt *Horizont* ist, an dem etwas *als solches* erschaut wird, dann haben wir nur eine bloße Linie dieses Horizonts, an den wir die Phänomene hängen. Dieser „Aufhänger" ist freilich nicht unsere Erfahrung der Welt, sondern ein theoretisches Konstrukt. Wie ist nun die Weltlichkeit der Welt phänomenologisch zu konstituieren, wenn die Welt nicht im Sinne von *etwas als etwas* formal bestimmbar ist, sondern selbst diese formale Bestimmung bestimmt?

Diese formale Struktur von „etwas als etwas" impliziert, daß sich etwas in der „Identität mit" und „im Unterschied zu" zeigt, d. h. daß etwas in Zusammenhang mit etwas steht und als solches aus dem Zusammenhang mit etwas heraustritt. Etwas ist als etwas notwendigerweise noch mit etwas anderem verknüpft und somit *in ein Ganzes* eingebunden, das als solches nicht phänomenhaft hervorgehoben werden kann, aber im Anknüpfen an etwas schon immer vor uns steht.

Nur in dieser Einbindung des Ganzen *bedeutet* die Welt uns etwas, und ist das, was uns *etwas* bedeutet. Die Welt ist also nicht aufgrund von etwas als etwas formal bestimmbar, dieses „etwas als etwas" hat vielmehr vorweg eine Bedeutung aus der Welt heraus, die in dieser Hinsicht eine Bedeutsamkeit „im Ganzen" zeigt. Die Welt könnte durch dieses „im Ganzen" angedeutet werden, aber es kommt dabei sofort die Frage auf, wo wir uns in diesem Ganzen befinden, und was die Intentionalität des Bewußtseins im Hinblick auf dieses „im Ganzen" bedeutet. Ist das Bewußtsein ein Ganzes im Ganzen oder ist es etwas, was sich von der Welt unterscheidet, weswegen die Welt also nicht ein Ganzes ist? Diese Dilemmata können nicht gelöst werden, wenn nicht darauf Bedacht genommen wird, wie durch diese scheinbar geringfügige Entdeckung der Bewußtseinsintentionalität die Einheit in der Verschiedenheit und somit auch das Verhältnis von Teil und Ganzem anders gedacht werden. Das Ganze ist nicht das, was alles umfaßt, und wir selbst sind ein „Teilchen" der Welt nicht dadurch, daß wir an allem teilhaben, sondern dadurch, daß wir in der Welt *wirken*. In-der-Welt-sein bedeutet für uns Tätig-Sein bei etwas, und zwar auf die Art und Weise, daß uns daran gelegen ist. Dieses Tätig-Sein ist ein *Inter-esse* noch vor der Trennung des theoretischen Interesses vom praktischen und charakterisiert die Möglichkeit des intentionalen Lebens selbst, sich in der Welt zu erfüllen, indem sich ihm die Welt erschließt. Das intentionale Inter-esse ist einfach das Faktum, daß wir frei sind, etwas zu tun, und daß wir gemäß diesem „Tätig-sein" ein Teil der Welt sind, die sich uns in Bedeutungen erschließt oder verschließt. [100]

Was ist also mit der Welt *im Ganzen*, die sich eben aus diesem unseren Tätig-sein als Welt der Kultur zeigt, ohne daß man sie vorweg von der „Natur" oder/und der „göttlichen" Welt trennen würde? Wieso weist die Welt in unserem Wirken, das ein Mitwirken durch dieses Inter-esse ist, zugleich Einheit und Verschiedenheit auf, und ist somit stets die eine und dennoch eine verschiedene, stets dieselbe und dennoch eine andere Welt? Kann vielleicht behauptet werden, daß die Welt *im Ganzen* Einheit und *Verschiedenheit* vermittelt *und sich somit nie als solche erfassen läßt?* So kann auch nicht behauptet werden, daß die Welt als *solche* ein all-umfassendes Ganzes ist. Sie wird als solche ausdrücklich erst in der Epoché des weltlichen Inter-esses.

Dieses „im Ganzen" als Charakter des Sichzeigens der Welt ist, wenn wir es aus der Vermittlung von Einheit und Verschiedenheit verstehen, eben der Gegensatz eines solchen Ganzen von allem. Insofern sich unser intentionales Leben als Tätigkeit erfüllt, ereignet sich uns zugleich die Welt-mitte in der Vermittlung von Einheit und Verschiedenheit, was als Anknüpfung von etwas an etwas oder als Trennung von etwas von etwas erkannt wird, mit Bezug worauf uns die Welt auch etwas bedeutet. Die Welt hat offensichtlich nicht *nur eine* Bedeutung (von etwas als etwas), sondern sie *wirkt in einem offenen Sinn*e (im Ganzen), der sowohl an sich als auch für uns ist. Die Welt ist demnach auch das, was uns nichts bedeutet und was der Bedeutsamkeit Widerstand leistet. Auch in der Bedeutungslosigkeit, inmitten von Nichts, sind wir inmitten der Welt.

Das Vermittlungsgeschehen des In-der-Welt-seins ist nicht auf der Grundlage eines

[100] Vgl. Hans Rainer Sepp, *Praxis und Theorie. Husserls transzendentalphänomenologische Rekonstruktion des Lebens*, Freiburg/München 1997.

Bewußtseins von Einheit und Verschiedenheit der Welt zu verstehen, insofern eben das intentionale Bewußtseinswesen als eine Tätigkeit bei etwas in der Welt bestimmt wurde. Hier kommt nun auch die Frage auf, wie das Phänomen mit Bezug auf das tätige Inter-esse und das Geschehen von Einheit und Verschiedenheit in der Welt phänomenhaft zu bestimmen ist. Das jeweilige Inter-esse des Bewußtseins läßt sich nicht auf das Bewußt-sein vom Sein der Welt zurückführen, und andererseits kann auch nicht gesagt werden, daß die Welt das ist, wodurch das Bewußtsein Bewußtsein von etwas ist, denn die Ver-mittlung von Einheit und Verschiedenheit geschieht nicht irgendwo von selbst und tritt sozusagen im fertigen Zustand vor uns hin, sondern wir nehmen an ihr wesenhaft teil, ja, wir sind in der Tat in ihrem Zwischen, in dem, was wir die *Sagbarkeit der Welt* als Erschlie-ßen der Einheit in der Verschiedenheit nennen können.

Worauf ist das Bewußtsein als Bewußtsein von etwas eigentlich gerichtet, wenn man sein Inter-esse in der Einheit und Verschiedenheit bedenkt? Gewiß nicht auf die Phänomene, die einheitliche und verschiedene Bedeutungen hätten. Einheit und Ver-schiedenheit *wirken in den Phänomenen selbst*, insofern diese die im Meinen wirkenden „Be-wußtseine" bedeuten. Das Meinen-Wirken des Bewußtseins ist somit stets vorläufig in das *Verstehen* eingebunden, das diese oder jene Interessensituation in der Welt ausweist. Das Verstehen schließt sowohl das *vorläufige* Verstehen von *Befinden* in der Welt als auch das *mitläufige* Verstehen des *Sichzusammenfindens* in der Welt mit ein. Einheit und Verschie-denheit sind in jedem Modus des *verstehensmäßigen Befindens* in der Welt anwesend, gemäß der dieses auch stets sinnhaft konstituiert wird. Einheit und Unterschied sind nicht erst Fakten der Erkenntnis der Welt, sondern bilden auch schon früher die Faktizität der Vertrautheit mit ihr aufgrund eines situativen, weltlich konstitutiven Verstehens des sich ankündigenden Sinns. Diese Feststellung bringt uns aber zu nichts weniger als zu einer *anderen Kultur, die die Dimension unserer Weltvergessenheit berücksichtigt.* Und eine solche *Kultur der Weltachtung ist Interkulturalität.*

Durch unseren gewöhnlichen situativen Blick auf die Sachen und unsere Beschäf-tigung mit ihnen wird, wie schon oben angezeigt, eben diese jeweilige Konstituiertheit unserer Welt übersehen, wobei diese Vergessenheit selbst für unser Verstehen der Welt und die Verständigung mit ihr als irgendwie konstitutiv aufweisbar ist. Die Welt kann nicht erdacht, konstruiert werden, sie ist aber gewiß etwas Konstitutives, denn ansonsten könnten wir uns in ihr nicht als solche begegnen. Die Welt vermittelt sich uns als *Mitte* für unser Inter-esse, obwohl wir uns nicht in ihr Zentrum stellen können. Was von der Phänomenologie mit Bezug auf das Verhältnis von Einheit und Verschiedenheit aufs Neue entdeckt worden ist, ist diese *zentrumslose Mitte* der Welt, die sich in der Sprache der Phänomene vermittelt, ohne daß sie selbst als solche irgendwo in der Phänomenalität, d. h. im Ganzen der Phänomene zentriert wäre. Das Sein-bei-etwas ist somit stets auch *Inmitten-von-etwas*, das, was von uns berührt wird, hat uns stets auch schon berührt. Es gibt also eine Berührung, eine Begegnung. Und deswegen ist es äußerst wichtig, daß der phänomenologische Begriff des Phänomens von Heidegger in *Sein und Zeit* als „eine aus-gezeichnete Begegnisart von etwas" bestimmt wurde,[101] nämlich vom *Seienden in seinem Sein.*[102] Die Phänomene im phänomenologischen Sinne bedeuten nicht etwas Seiendes,

---

[101] GA 2, S. 41.
[102] Ibid, S. 49.

sondern das *Sein* des Seienden; sie zeigen sich selbst durch den *Unterschied* von Sein und Seiendem, der verstehensmäßig *das Gefüge* in der Verschiedenheit von Begegnen und Begegnendem herstellt. Das Verstehen des Seins im Unterschied zum Seienden *eröffnet* also die Möglichkeit des *Begegnens und der Verständigung in der Welt*. Die Begegnung und die Verständigung sind konstitutive Begriffe der Eröffnung von Einheit und Verschiedenheit, die auf die vermittelnde Konstituierbarkeit der Welt-mitte selbst verweisen. Einheit und Verschiedenheit sind von der Eröffnung der Mitte in der Begegnung und von der Erfüllungsvermittlung in der Verständigung aus zu verstehen.

Ein phänomenologisch begriffenes Phänomen würde in hermeneutischer Hinsicht *das Zwischen der Begegnung* andeuten, das sich von einer Situation zur nächsten im Verstehen der Weltmitte eröffnet. Inmitten von etwas seiend sind wir stets irgendwo dazwischen, und die phänomenologische *Weltmitte* ist stets zugleich eine hermeneutische Situation des *Zwischen*. Dabei kommt freilich die Frage auf, wie wir von einer Situation zur nächsten uns selbst begegnen und verstehen. Ohne Zweifel nicht als selbst gewisse Iche, als Subjekte, und auch nicht als isolierte Einzelne. Die Frage nach uns selbst wird konstitutiv, insofern wir – um sie zu beantworten – die Welt selbst befragen müssen, und nicht nur „uns". Es wird somit auch nicht nach unserer Rolle in der Welt gefragt, und Kultur wird auch nicht als ihr Vollzug begriffen. Die Kultur als die Inter-kulturalität tritt in der Begegnung und Verständigung der Welt im Einheit und Verschiedenheit vermittelnden Übergang heraus. Diesbezüglich bin ich Ram Adhar Mall für die folgende erhellende Einsicht in die hermeneutische Situation der Zeit dankbar:

„*De facto* befinden wir uns heute in einer globalen, alle Traditionen relativierenden, einheitlichen, aber nicht einförmigen und neuentstandenen hermeneutische Situation. Das hermeneutische Phänomen zeigt inner-, inter- und transkulturelle Dimensionen und kann nicht durch reduktive Methoden und Techniken adäquat beschrieben und erklärt werden." [103]

---

[103] Ram Adhar Mall, *Hans-Georg Gadamers Hermeneutik interkulturell gelesen*, Nordhausen 2006, S. 106.

Multikulturalismus und Interkulturalität – eine phänomenologische Unterscheidung

Das Thema meines Vortrages bildet die Unterscheidung zwischen *Multikulturalismus* und *Interkulturalität*, die ich in meinem Buch *Tradition und Vermittlung. Der interkulturelle Sinn Europas*[104] mit der Annahme einzuführen versuchte, daß sie sich phänomenologisch aufweisen und hermeneutisch vermitteln läßt. Wie schon aus dem Titel des Buches ersichtlich, fällt die Ausführung dieser Unterscheidung nicht nur in die engere Sphäre der Philosophie; als eine philosophische Besinnung betrifft sie die Atmosphäre des Gesprächs über den Sinn Europas bzw. – mit Husserl zu sprechen – des Gesprächs über die europäische Lebenswelt als einer Atmosphäre von Sinn.

Ansonsten sieht man sich heute zweifellos mit erheblichen Schwierigkeiten konfrontiert, versucht man, den interkulturellen Sinn Europas insbesondere mittels der Abgrenzung vom Multikulturalismus als einem Phänomen der Globalisierung zu bestimmen. Diese Schwierigkeiten lassen sich nicht auf der Ebene soziologischer, kulturkundlicher, politikwissenschaftlicher oder ökonomischer Analysen lösen, sondern machen eine philosophische Besinnung erforderlich, und zwar in dem Maße, in dem die Herausbildung des interkulturellen Sinns Europas von der Philosophie selbst mitbestimmt worden ist. Aber auch dieser philosophische Ausgangspunkt läßt sich ohne die Berücksichtigung der von der sogenannten interkulturellen Philosophie geäußerten Vorbehalte nicht geltend machen.

Es erheben sich nämlich einige prinzipielle Einwände, ob und inwiefern man vom Gesichtspunkt der interkulturellen Philosophie aus berechtigt ist, den Ursprung und die Geschichte der Philosophie mit der Ursprünglichkeit und Geschichtlichkeit Europas eindeutig zu verbinden. Sollte man nicht die gleiche Relevanz auch den außereuropäischen Ursprüngen und Geschichten der Philosophie zuerkennen, um nicht einem unkritischen Eurozentrismus zu verfallen? Der Philosophiehistoriker Giovanni Reale[105] lehnt diese Möglichkeit in seiner Einleitung zur Geschichte der antiken Philosophie entschieden ab. Ram Adhar Mall,[106] einer der einflußreichsten Vertreter der interkulturellen Philosophie in Europa, warnt ausdrücklich vor einem solchen exklusiven Standpunkt, von dem aus der Ursprung der Philosophie eindeutig und nur Europa zugeschrieben wird.

Hinsichtlich der philosophischen Erörterung des interkulturellen Sinns Europas steckt man damit in einer doppelten Verlegenheit. Darüber hinaus gilt in Erwägung zu ziehen, ob die beiden Standpunkte nicht einen Mangel aufweisen in dem Nichtbedenken dessen, daß die philosophische Frage nach dem interkulturellen Sinn Europas heute in seiner wesentlichen Fraglichkeit *übersprungen wird* und daß eben dieser *Übersprung* oder sogar die *Verdrängung* die Unterscheidung zwischen Interkulturalität und Multikulturalität

---

[104] Dean Komel, *Tradition und Vermittlung. Der interkulturelle Sinn Europas*, Würzburg 2005.

[105] Giovanni Reale, *Storia della filosofia antica* (1), Milano 1991. Vgl. auch Giovanni Reale, *Kulturelle und geistige Wurzeln Europas. Plädoyer für eine Wiedergeburt des ‚europäischen' Menschen*, Paderborn 2004.

[106] Ram Adhar Mall, „Zur nicht-europäischen Entdeckung Europas", in: *Essays zur interkulturellen Philosophie*, Nordhausen 2003, S. 167-172.

unmöglich macht. Vertritt man die Gleichursprünglichkeit von Philosophie und Europa, werden weder der Bedarf noch die Notwendigkeit eingesehen, die philosophische Frage nach dem interkulturellen Sinn Europas neu aufzuwerfen, denn es wird als selbstverständlich angenommen, daß dieser bereits zur Verfügung steht. Eben diese Selbstverständlichkeit geht unaufhaltsam in den Willen zur Macht über, der einen globalen Multikulturalismus hervorbringt, in dem die Unterscheidung zwischen Multikulturalität und Interkulturalität überflüssig geworden ist.

Versucht man außer dem europäischen Ursprung noch andere Ursprünge der Philosophie zu befürworten, tritt die Frage auf, auf *welcher philosophischen und kulturellen Grundlage diese Befürwortung möglich ist* bzw. ob sie vielleicht ohne eine solche Grundlage stattfindet und sich mit bloßen Vergleichen zufrieden gibt. Oder anders gesagt: Auch die interkulturelle Philosophie ist notwendigerweise vor eine Besinnung darüber gestellt, worin der Ursprung einer Philosophie liegt, die von interkultureller Wirkung ist, was bedeuten würde, daß man auch ihr *ständiges Herausspringen* und nicht nur ihren historisch bestätigten *Ursprung* zu berücksichtigen hat. Daß weder *ein* Ursprung noch verschiedenartige Ursprünge der Philosophie einfach gegeben sind, daß sie uns vielmehr als eine Aufgabe der philosophischen Selbstbesinnung bevorstehen, wurde im vergangenen Jahrhundert am besten im Rahmen der phänomenologischen Philosophie deutlich.[107]

Eben unter Berücksichtigung dieses von der Phänomenologie im vorigen Jahrhundert geleisteten Beitrags soll die folgende Frage gestellt werden: Bleibt dieser Ursprung weiterhin offen oder ist man dagegen mit einer Geschlossenheit konfrontiert?

In der Diskussion über die Interkulturalität setzt man sich also nicht nur mit dem Problem des Ursprungs der Philosophie und der Ursprünglichkeit Europas auseinander, sondern auch mit dem Problem des *Endes der Philosophie* und des *Untergangs Europas* bzw. damit, was mit indikativer Mehrdeutigkeit als „*Zusammenbruch* der westlichen Zivilisation" bezeichnet wird. Unsere Annahme ist, daß eben durch diese „philosophische Krise des Westens", die zwar schon ein Jahrhundert lang bekannt, aber noch immer nicht erkannt ist, eine Verschiebung in der Auffassung von Kultur in Richtung Interkulturalität stattfindet. Der Ort der interkulturellen Besinnung kann wohl kein beliebiger sein und muß auch die negative Erfahrung derjenigen Kultur umfassen, die sich selbst ins Zentrum gestellt hat und sich als europäisch, wertmäßig aber als westlich begreift. Es kann freilich behauptet werden, daß sich jede Kultur, insofern sie sich um sich selbst dreht, früher oder später mit der Krisis ihrer „zentralen Rolle" konfrontiert sieht. Im Fall von Europa handelt es sich aber um eine Lebenswelt, in der die Menschlichkeit des Menschen im Zentrum steht. Der Eurozentrismus wäre ohne *Anthropozentrismus* nicht möglich, und dieser nicht ohne den Entwurf der neuzeitlichen Subjektivität, der ein

---

[107] Das hat auch die phänomenologische Diskussion über die interkulturelle Besinnung Europas und die damit verbundene Kritik am Eurozentrismus wesentlich geprägt; vgl. dazu Tadashi Ogawa, *Grund und Grenze des Bewußtseins. Interkulturelle Phänomenologie aus japanischer Sicht*, Würzburg 2001; Hans Rainer Sepp, „Homogenisierung ohne Gewalt? Zu einer Phänomenologie der Interkulturalität im Anschluß an Husserl", in: *Philosophie aus interkultureller Sicht*, hg. von N. Schneider, D. Lohmar, M. Ghasempour, H.-J. Scheidgen, Amsterdam/Atlanta 1997, S. 263-275. Sepp lehnt sich in seinem Aufsatz besonders an Toru Tani, „Heimat und das Fremde", in: *Husserl Studies* 9, (1992), S. 199-216 an sowie an Klaus Held, „Husserls These von Europäisierung der Menschheit", in: *Phänomenologie im Widerstreit*, hg. von Ch. Jamme und O. Pöggeler, Frankfurt/M. 1989, S. 13-39; Chung-Chi Yu, „Heimwelt, Fremdwelt und die Zwischenwelten", in: *Phainomena* XV/59 (2006), S. 106-119.

universalistischer Charakter zukommt. Dadurch wird die Entwicklung einzelner Kulturen, Sprachen, Nationen möglich, die sich als solche bewähren, insofern sie sich auf dieser universalistischen Ebene darstellen. Die UNO und heutige Ausformung der Europäischen Union bilden den Abschluß dieses Prozesses, der jedoch auch seine krisenhafte Seite zeigt, insofern die *Ordnung der Welt* auf der globalen Ebene, auf die nun der neuzeitliche Universalismus übertragen worden ist, sich unter dem Aspekt ihrer subjektivistischen Unterordnung herstellt. In diesem Sinne wird von der globalen Hegemonie des Westens gesprochen. Aber diese Hegemonie breitet sich heute auch vom Osten, Norden und Süden aus; sie ist insofern multiversal geworden, als die *subjektivistische Unterordnung der Welt* gleichsam restlos als *Weltordnung* akzeptiert wird.

In dieser Hinsicht ist die Kritik am Eurozentrismus und seinem Universalismus innerhalb der interkulturellen Philosophie nicht ausreichend, wenn sie sich nicht mit der fundamentalen Frage nach der *Offenbarkeit der Welt* auseinandersetzt, mit einer Frage also, die wohl ein ausgezeichnetes phänomenologisches Thema darstellt. Eben im Rahmen der Ausarbeitung dieses Themas hat sich auch gezeigt, daß die Überwindung der Subjektivität – wenn es um das Problem der Konstituierung der Weltlichkeit der Welt und folglich auch der interkulturellen Begegnung und Verständigung in der Welt geht – keine einfache Aufhebung der Subjektivität bedeutet, sondern vielmehr eine ausdrückliche Erschließung ihres Seinsentwurfes verlangt. Und hier denkt man selbstverständlich an die Heideggersche Einführung des Konzepts der Erschlossenheit des Daseins in seinem Werk *Sein und Zeit*.

Darin steckt zweifellos eine weitere Schwierigkeit für die phänomenologische Konstitution der Interkulturalität, die sich auf der Grundlage derjenigen geschichtlichen Wirkung zu konstituieren hat, die zugleich das Thema ihrer Kritik ist, d. h. auf dem Ansatz der Subjektivität und der mit ihr verbundenen Problematik der Universalität der Wahrheit und des wissenschaftlichen Objektivismus. Der Ausgangspunkt der Subjektivität erweist sich in der gegenwärtigen interkulturellen Diskussion als ungenügend, wobei jedoch die Tatsache nicht übersehen werden kann, daß der Großteil sowohl lokaler als auch globaler gesellschaftlicher Institutionen auf dem Prinzip der Subjektivität gegründet wird (von den Menschenrechten über die Wissenschaften, Religion, Kunst bis hin zu den allumfassenden „Regeln" des freien Marktes). Auch die Multikulturalität steht und fällt mit der Macht der Subjektivität, und zwar bis zu dem Maße, daß die inter-subjektive Grundlage durch Vielheit, Menge, Multiplität, Multitude ersetzt wird, wodurch die meisten multikulturellen Konflikte von heute ausgelöst sowie die interkulturelle Überlieferung und die Mitteilung vernichtet werden.

Der Unterschied zwischen Multikulturalismus und Interkulturalität tritt in die phänomenologische Hermeneutik auf die Weise des *Übergangs* von der Subjektivität zur Offenbarkeit der Welt ein, wobei allein die Erfahrung dieses Übergangs die Offenheit der *Inter*-Dimension von Kultur erschließt, der *Inter*-Dimension, die selbst den Unterschied des Übergangs bildet. Darin konzentrieren sich sämtliche Probleme der philosophischen Diskussion über die Interkulturalität.

Insofern es sich um eine *phänomenologische* Unterscheidung handelt, bedeutet das, daß *die Evidenz* der Inter-Dimension der Interkulturalität aufzuweisen ist, durch die diese Unterscheidung fundiert wird. Der Sachverhalt ist aber der, daß gerade diese Evidenz der Inter-Dimension im Erscheinungsbild des gegenwärtigen Multikulturalismus und der

Interkulturalität am wenigsten *offensichtlich* ist. Der Multikulturalismus ist an sich zwar als eine der Begleiterscheinungen des Globalismus sichtbar und faßt alle globalistischen Gegensätze und Kollisionen in sich zusammen. Ebenso bildet die Interkulturalität schon eine ganze Zeit lang nicht nur den zentralen Topos der geistes- und gesellschaftswissenschaftlichen Diskussionen, sondern ist auch zu einer der Kommunikationskompetenzen in der sich entfaltenden Wissensgesellschaft geworden. Jedoch können weder der Multikulturalismus noch die Interkulturalität als solche gesellschaftliche Erscheinungen unmittelbar in die phänomenologische Betrachtung aufgenommen werden, die zur Ausführung des Unterschiedes zwischen beiden führen würde. Das kritische Verfahren, auf dessen Grundlage die thematische Modifikation zu erörternder Phänomene gesichert wird, ist in der Phänomenologie unter dem Namen *Reduktion* bekannt.

Der Evidenzcharakter der phänomenologischen Reduktion liegt darin, daß das ihr Unterworfene nicht auf etwas anderes zurückgeführt wird, sondern eben darauf, was es selbst *ist*. Die phänomenologische Reduktion führt das Seiende auf sein Sein zurück und hat somit eine *konstitutive* Gültigkeit. Diese konstitutive Gültigkeit der phänomenologischen Zurückführung des Seienden auf sein Sein zeigt sich in ihrem *wahren Licht*, sofern die sie begleitende Methode der „Zurückhaltung" berücksichtigt wird, d. h. die methodische „Epoché", die meine weltlichen Interessen für das Seiende blockiert, und zwar in einer gleichzeitigen *Erschließung des weltlichen Inter-esses als solchen*, das mich vor die Offenbarkeit der Welt als eines ausgezeichneten Themenfeldes der Phänomenologie – die „Lichtung" – stellt. Der phänomenologischen Epoché kann man sich nicht nur als eines geeigneten methodischen Mittels bedienen; sie erschließt vielmehr einen epochalen Übergang der Mitte, der uns für das weltliche Inter-esse und das heißt das Zwischen-sein als solches öffnet.

Dabei ist jedoch zu bedenken, daß die phänomenologische Konstitution in „Theorie und Praxis" nicht dasselbe ist wie Konstruktion. Durch die konstruktivistische oder dekonstruktivistische Deutung der phänomenologischen Konstitution wird nämlich nahegelegt, das von der Phänomenologie Thematisierte werde nur *erfunden* und nicht schon *vorgefunden*. Dabei kann gerade die „Welt" als ausgezeichnetes Feld des phänomenologischen Denkens keineswegs erfunden und konstruiert werden, weil sie für mich *schon da* ist, wenn auch so, daß ich in ihr konstitutiv mitwirken, d. h. sie in der Art und Weise eines *sinnhaften Inter-esses* ausfüllen muß. Nur so kann behauptet werden, daß die Welt für mich da ist, daß sie mich *schon immer irgendwie anspricht und eine Bedeutung für mich hat*. Phänomenologisch führt das zu der Evidenz, ja sogar Ur-Evidenz, daß *die Sprache* dasjenige *Zwischen* ist, durch das uns die *Mitte der Welt* in erster Linie *vermittelt wird*. Darauf kommen wir später, bei der Erörterung der Problematik der Gewinnung von Evidenz in der Unterscheidung zwischen Interkulturalität und Multikulturalismus, noch zurück.

Zunächst läßt sich nur andeuten, daß die phänomenologische Evidenz der Sagbarkeit der Welt, d. h. der ursprüngliche Sach-verhalt, daß *die Welt in ihrer Mitte (Inter-dimension) unterschiedlich spricht*, eine evidente Versicherung für die Unterscheidung zwischen Interkulturalität und Multikulturalismus bietet, die aber in Hinsicht auf ihre Wahrheit in einem noch undifferenzierten Sinn geschichtlich geprägt ist. Dadurch wird eine weitere Besinnung über die *Epochalität* dieser *Versicherung* veranlaßt, die mit keiner geschichtlichen Haltung innerhalb der Welt, sondern vielmehr mit der Zurückhaltung (Epochalität) der Geschichte selbst in Zusammenhang steht. Sie betrifft nicht diese oder jene geschichtliche Wahrheit und Entscheidung, sondern *die Wahrheit und den Unterschied der Geschichtlichkeit selbst*. Das bedeutet, daß sich die phänomenologische Reduktion, soll sie ihre konstitutive Geltung zeigen, nicht auf irgendein Vorgegebenes stützen kann; sie soll sich vielmehr aus der epochalen Vorgegebenheit der Ansprache der Welt ergeben. Die Versicherung der Evidenz geht nicht aus dieser oder jener Gewißheit und Fertigstellung der Welt hervor, sondern wird aus der Mitte dieser Welt vermittelt.

Insofern die Evidenz der Unterscheidung zwischen Multikulturalismus und Interkulturalität erst durch das entsprechende Verfahren der phänomenologischen Reduktion *gesichert* wird (wobei der Wahrheitscharakter dieser Versicherung nicht irrelevant bleiben kann), muß man sich fragen, um welche Reduktion es in diesem Fall eigentlich geht. Wie bereits erwähnt, macht die Reduktion den Übergang zwischen der Kultur und der Dimension dessen erforderlich, was durch die Präfixe *„inter-"* und *„multi-"* angedeutet wird. Es geht um eine Unterscheidung, der eine konstitutive Gültigkeit zukommen sollte. Die ursprüngliche Reduktion liegt demnach darin, daß Inter-kulturalität nicht auf Multikulturalität *nivelliert* wird, wobei sich die letztere als wesentlich *„nivellierend"* auswirken kann, d. h. als die Unterscheidung *vernichtend*. Das erinnert an den grundlegenden phänomenologischen Anspruch, nach dem die ontologisch-konstitutive Ebene nicht mit der ontisch-konstituierten zu verwechseln ist. Im Falle der Unterscheidung zwischen Multikulturalismus und Interkulturalität werden wir aber mit einem anderen Anspruch konfrontiert, der einen hervorgehobenen *Wertcharakter* hat, insofern er die Ebene der Kultur bzw. die Ebene *der Auseinandersetzung von Philosophie und Kultur* betrifft. Diese Auseinandersetzung, die in der Hinsicht bestimmend ist, wie der Mensch seine Menschlichkeit in der *Wahrheit* verortet, wäre jedoch nicht möglich, wenn die Philosophie nicht aus sich selbst eine Art Geschichtlichkeit entfalten würde, in der die *Kultur als Kultur* offensichtlich wird. Ein historisches Zeugnis dafür finden wir bei Cicero: *philosopia autem animi cultura est*. Die Philosophie ist Kultur als *paideia* – als Ausbildung der Menschlichkeit im Bezug zur Wahrheit. Das bedeutet, daß die Philosophie aus ihrem Verhältnis zur Wahrheit *geschichtlich* ist, und demgemäß ist auch die Kultur im Wesen geschichtlich wahr oder nicht. Zweifellos ist dabei auch die Einsicht Hegels in seiner Einleitung zur Geschichte der Philosophie relevant, daß sich der *Inhalt der Wahrheit als Ganze* weder in der Religion noch in der Wissenschaft, sondern nur in der Philosophie *ändert*.[108] Man hat es also in der Philosophie auf der Ebene der Erschließung der Wahrheit mit der *Epochalität des Geschichtlichen* zu tun, durch die auch das bestimmt wird, was ansonsten als geschichtliche und kulturelle Epoche begriffen wird. *Die Sagbarkeit der Welt spricht uns als ein epochales Zeugnis ihrer Geschichtlichkeit an.* Es genügt somit nicht, sie nur zu befürworten. Denn wir *ent-sprechen* stets dem Anspruch der Welt und sind ihm ausgeliefert. Durch diese Aus-lieferung an die Welt, wie sie uns aus der Über-lieferung überbracht wird, werden wir epochal in die Situation des Gesprächs, das heißt in den *Zustand der Kultur im Gespräch – Inter-kulturalität* – gebracht.

Wenn wir behaupten, daß der Sinn der phänomenologischen Reduktion – im Rahmen der thematisierten Unterscheidung – eben darin liegt, daß die Interkulturalität *nicht*

---

[108] „Die Geschichte der Philosophie zeigt dagegen weder das Verharren eines zusatzlosen, einfacheren Inhalts noch nur den Verlauf eines ruhigen Ansetzens neuer Schätze an die bereits erworbenen; sondern sie scheint vielmehr das Schauspiel nur immer sich erneuernder Veränderungen des Ganzen zu geben, welche zuletzt auch nicht mehr das bloße Ziel zum gemeinsamen Bande haben." (Hegel, *Vorlesungen über die Geschichte der Philosophie*, Digitale Bibliothek Band 3: Geschichte der Philosophie, Berlin 1998, S. 27.) Die Ansicht Hegels über das Verhältnis von Philosophie und Europa ist bis heute gleichermaßen entscheidend wie umstritten.

auf die Multikulturalität relativiert und nivelliert wird, kann man feststellen, daß diese Epoché von *Nicht- Nivellierung* eine *geschichtliche Wirkung des Verhältnisses der Philosophie zur Erschließung der Wahrheit* darstellt und daß die Phänomenologie hier nichts Neues entdeckt – außer dieser epochalen *Vorentdecktheit, der „Lichtung", selbst,* die somit zum ausdrücklichen Thema des *Gesprächs* wird. Das ist *die uns ansprechende Offenbarkeit der Welt als derjenige Unter-Schied, der auf die Inter-Dimension der Interkulturalität hinweist,* die im epochalen Übergang auf die Art und Weise eines geschichtlich sich offenbarenden Gesprächs erfahren werden kann. Es geht nicht darum, einen Unterschied zu erfinden, auf dessen Grundlage eine Unterscheidung zwischen Multikulturalität und Interkulturalität möglich wäre; es wird vielmehr von einem Unterschied ausgegangen, insofern es im Geschehen des Offenbarens selbst *zu einem Unterschied kommt.* Dieses historische Gespräch ist auch kein *Mittel,* mit dem und auf dessen Grundlage man sich der multikulturellen Nivellierung widersetzen könnte, insofern von diesem Geschichtslosigkeit, Ursprungslosigkeit, Grundlosigkeit gefördert und Identität durch allerlei Identifikationen ersetzt wird.

Was sagt bzw. verschweigt die „multikulturelle Nivellierung" mit Bezug auf die Möglichkeit des interkulturellen Gesprächs? Die gegenwärtigen kulturologischen, soziologischen und politologischen Diskussionen über den Globalismus sind bekanntlich mit dem Problem der Verschmelzung und Verwischung der Kulturdifferenzen konfrontiert und bemüht, eine Politik der Anerkennung der Andersheit zu vertreten. Die Frage ist aber, wie und warum es zu diesem Widerspruch von theoretischen und praktischen Tendenzen kommt. Es scheint nämlich, daß ein Zufall dafür verantwortlich ist, der in sich jedoch eine Notwendigkeit und demgemäß auch einen grundlegenden Widerspruch verbirgt, und zwar den zwischen dem subjektivistischen Willen zur Beherrschung der Welt und dem jeweiligen Walten der Welt.

Diese waltende Mitte der Welt, durch deren Vermittlung Verständigung, Begegnung und Zusammenkommen in der Welt überhaupt möglich sind, ist aber gerade das ursprüngliche Geschehen der Inter-Dimension von Interkulturalität. Insofern die Welt durch das Öffnen der vermittelnden Mitte unterschiedlich spricht, sind wir geschichtlich bedingt. Dadurch *ist* die Welt *diese für uns gemeinsame Welt.* Die erwähnte Dichotomie innerhalb des Multikulturalismus reicht nicht bis zum ursprünglichen Geschehen der Konstituierung der für ihn bloß vorausgesetzten Kulturdifferenzen, die eben in der Inter-Dimension der Interkulturalität angedeutet wird. Die Inter-Dimension weist auf die *sich öffnende Mitte der Welt* hin. Das Eröffnen der Kulturdifferenzen ist mit der phänomenologischen Ur-Evidenz, daß die Welt uns unterschiedlich anspricht und spricht, verbunden. *Die Welt teilt sich als eine gemeinsame Welt unterschiedlich mit.* Darin *verbirgt* sich die ganze Evidenz der Unterscheidung zwischen Interkulturalität und Multikulturalismus, wobei dieses *Verbergen* als der Wesenszug der Unterscheidung selbst zu nehmen ist; ansonsten schiene der multikulturelle Gesichtspunkt bestätigt, daß es keine Kultur schlechthin, sondern nur Kulturen gibt. Akzeptiert man diesen Gesichtspunkt, stellt sich jedoch notwendigerweise die Frage, was die Kultur selbst als Differenz erschließt und was die Differenz zwischen Kulturen öffnet. Bleibt diese Frage aus, verfällt man, trotz der deklarierten Anerkennung eines Pluralismus von Kulturen, einem *kulturellen Monolith.* Es ist also nötig anzugeben, wodurch sich die Kulturdifferenzen konstituieren und was das grundlegende Konstitutionsproblem der Interkulturalität bildet. Wenn man hier von der urphänomenologischen Evidenz ausgeht, „daß die Welt spricht", ist dieser Konstitutions-aspekt mit der Weltmitte und ihrer jeweiligen Vermittlung durch das Zwischen der Sprache als einem ursprünglichen Geschehen, Geben und Schenken verbunden.

Die Konstitutionsfrage nach dem interkulturellen Sinn könnte auch als die Frage formuliert werden, wie *Begegnung* und *Verständigung* innerhalb einer Kultur und unter den Kulturen möglich sind, also als Frage nach der *Weltlichkeit* und *Sprachlichkeit* der Kultur. Auf dieser Grundlage läßt sich behaupten, daß sich die Kultur, mag es sich um ihren europäischen oder außereuropäischen Ursprung handeln, heute in einem *Untergang* hin-sichtlich dessen befindet, was die Weltlichkeit und die Sprachlichkeit verbindet, d. h. im Moment der *Geschichtlichkeit,* und zwar ungeachtet dessen, wie sehr sich eine kulturelle Überlieferung als geschichtlich erweist. Es bleibt auch unklar, ob diese Frage aus den Ursprüngen selbst oder aufgrund der *globalen Herausforderung des Endes der Geschichte im Zunichtemachen des Ursprünglichen* in den Vordergrund tritt. Ebenso wie die Sprachlichkeit durch das Informationswesen und die Weltlichkeit durch den Globalismus ersetzt wer-den, wird heute auch die Geschichtlichkeit durch die *Medialität* ersetzt, wobei der Punkt der *Ersetzbarkeit* für die Humanität in dem Maße bestimmend ist, wie sie sich durch das Verfügen über das Ersetzbare selbst als ersetzbar erweist (wobei nicht notwendig an die berüchtigtste Manipulation durch das Klonen zu denken ist). Was nicht ersetzbar ist, gibt es nicht – dadurch wird zwar die ontologische Ordnung auf den Kopf gestellt, die Manipulation in der „Verwaltung" all des Unterschiedslosen zwecks seiner Unterordnung jedoch wesentlich erleichtert. Wo *alles unterschiedslos* auf die Expansion der Weltwirtschaft gesetzt wird, ist das Walten der Welt, d. h. die vorangehende Offenbarkeit der Welt und die dadurch *bedingte Geschichtlichkeit* des menschlichen Daseins in der Welt von der Tages-ordnung vorerst abgesetzt. Dadurch wird in einem epochalen Sinne auch die Kultur als eine *geschichtslose globale Kulturalisierung* bestimmt, die ihre geschichtliche Bedingtheit ver-nachlässigt und sich als unbedingt begreift. Die Welt als globale ist nicht mehr das allem Gemeinsame, sondern nur noch ein *Aggregat* alles Ununterschiedenen. Daher wird auch die globale Kultur nicht als eine gemeinsame Kultur aufgefaßt, sondern nur noch als ein Aggregat von Kulturen – Multikulturalismus.

Diese bedingungslose Geschichtslosigkeit, die sich in *allem ohne Unterschied* gel-tend macht, ist dennoch eine geschichtliche Leistung, die *als solche verheimlicht* wird. Die Geschichte ist in diesem Sinne zum Globalismus und die Kultur zum Multikul-turalismus übergegangen, als gäbe es dazwischen keinen Übergang, als wäre man nicht länger durch die Welt bedingt und könne sich ihrer unterschiedslosen Beherr-schung rühmen. Hier, wenn es um die Konstituierung seines interkulturellen Sinnes geht, zeigt sich die grundlegende Verlegenheit Europas, insofern durch das Ende der Geschichte nicht nur sein Ursprung betroffen wird, sondern dies die Sache dieses geschichtlichen Ursprungs selbst ist.

Die Kultur als die europäische bzw. westliche Überlieferung ist im Wesen geschicht-lich, d. h. sie ist *Geschichte.* Das Sicheinsetzen für eine besondere kulturelle Identität Euro-pas übersieht eigentlich den Sachverhalt, daß das, wovon die Identität Europas getragen wird, *Geschichte* ist.[109] Und Geschichte bedeutet das Bewußtsein Europas. Vielleicht wäre

---

[109] So behauptet z. B. Remi Brague: „Nur in Europa ist die Kultur als Geschichte und umgekehrt die Geschichte als Kultur verstanden worden" (Remi Brague, „Evropska kulturna zgodovina" " [Euro-päische Kulturgeschichte], *Phainomena* XI/55-56, 2006, str. 78).

es angemessener zu sagen, daß Geschichte das Bewußtsein davon gewesen ist, was Europa geschichtlich *war*. Sowohl von modernistischen als auch von postmodernistischen Theorien wird seit Jahrzehnten das *Ende der Geschichte* und die damit verbundene Veränderung des kulturellen Paradigmas verkündet, das nach postmodernistischer Auffassung am stärksten durch das Syntagma „kultureller Pluralismus" geprägt wird. Dementsprechend könnte der Multikulturalismus als sich verwirklichender Pluralismus *der Kulturen* nach dem Ende der Geschichte und so *ohne geschichtliche Wirkung* verstanden werden. In solchen „Entwicklungsperspektiven" ist es mit dem geschichtlichen Europa aus.

Wir „guten Europäer", wenn wir diese Bezeichnung von Nietzsche und Husserl aufnehmen wollen, sind vielleicht keine Geschichte mehr, werden aber *früher oder später mit der Frage der Geschichte konfrontiert*, und zwar nicht nur wegen unserer Macht, sondern vor allem deshalb, weil die Umstände der Globalisierung uns in ein Verhältnis zum Anderen bringen und uns im interkulturellen Sinne als *geschichtliches Gespräch* beginnen lassen. *Das Ende der Geschichte ist somit in der Wahrheit der Ort, an dem das geschichtliche Gespräch beginnt.* [110]

Sich in einem solchen Gespräch aufzuhalten und in ihm zu bestehen, ist die wesentliche Aufgabe einer Philosophie, die ihrer epochal vorgegebenen Zurückhaltung gegenüber der Erschließung der Wahrheit treu bleibt. Die phänomenologische Evidenz des Anspruchs von Welt läßt sich nicht wie alles andere unterschiedslos vom Sitz der Subjektivität aus liefern. In ihrer Behaglichkeit werden heute wesentliche „Differenzen verwischt", wodurch ein Unbehagen hinsichtlich des „Weltzustandes"·entsteht, das uns, insofern es ausgehalten wird, geschichtlich zu dem führen könnte, worüber sich das Gespräch entfalten sollte.

Das Ende der Geschichte kann nur dort angekündigt und verkündet werden, wo einem *das Leben in der Wahrheit nichts mehr sagt* und besagt, was sich nicht nur als die eine oder andere geschichtliche Verstimmung, sondern als die Indifferenz der Geschichte selbst geltend macht. Die indifferente Ungestimmtheit des Geschichtlichen *entspricht* der Verfügbarkeit von allem durch alles, der man heute global ausgesetzt ist. Diese Ausgesetztheit dringt „uns Europäern" „*in die Seele*" ein, und zwar als Not und Not-wendigkeit eines geschichtlichen Gesprächs am Ende der Geschichte, die der Ort der Gleichzeitigkeit von Verbergung und Entbergung und in diesem Sinne auch ein geschichtlicher Vorgang der Unterscheidung zwischen Multikulturalismus und Interkulturalität ist.

Eben durch ein solches „Eindringen in die Seele" wird aber der Konstitutionssinn der interkulturellen Selbstbesinnung überliefert, wie Klaus Held in seinen phänomenologischen Analysen zur *Grundstimmung der europäischen interkulturellen Verständigung* gezeigt hat. [111] Wir werden von der Weltmitte ursprünglich darin angesprochen (oder nicht angesprochen), was als Stimmung *ins Zwischen* tritt. Den Stimmungen kann man zwar ausweichen, nicht aber dem, wodurch unser Sein in der Welt bewegt wird. Die Welt ist in den Stimmungen schon immer da, jedoch so, daß man erst durch die Stimmung in ihr tätig wird. Die Stimmung ist das, wodurch einem die Evidenz der Welt geschenkt wird, jedoch nicht auf die Art einer bloßen Evidenz der Erscheinungsbilder der Welt, sondern durch die Auslösung einer Tätigkeit, die selbst als Welt offensichtlich wird. Die Stimmungen

---

[110] Seinsgeschichtlich befinden wir uns vor dem abendländischen Gespräch, das den europäischen Morgen verspricht; dazu Peter Trawny, *Heidegger und Hölderlin oder Der Europäische Morgen*, Würzburg 2004.

[111] Klaus Held, „Europa und die interkulturelle Verständigung", in: *Europa und Philosophie*, hg. von Hans Helmuth Gander, Schriftenreihe der Martin Heidegger Gesellschaft 2, Frankfurt/M. 1993, S. 87-103.

sind daher nicht nur das Individuelle, sondern auch das Geschichtliche, das *Epochale*. Die Stimmung kann sowohl auf der individuellen als auch auf der gemeinschaftlichen Ebene in Mißstimmung oder sogar Stimmungslosigkeit umschlagen, etwa in die Stimmungslosigkeit, wie sie heute herrscht, wenn es darum geht, wie uns die Welt anspricht. In der unterschiedslosen Verfügbarkeit von allem wird uns die Gestimmtheit *entzogen*, in der die Welt ursprünglich spricht, so daß die Welt eigentlich das *Letzte* ist, was – wenn überhaupt – zu Wort kommt und in diesem Sinne Geltung hat. Dieser Entzug an sich genommen, d. h. in seinem *di-fferere*, ist nicht schlechterdings nichts, sondern nur nichts Verfügbares; durch die *Unerträglichkeit* seiner Unterschiedslosigkeit ruft er die Stimmung einer geschichtlichen Indifferenz hervor. Aus dieser Sinnspaltung tritt der *Streit der Welt* hervor, der der *Inter*-kulturalität als einer *Kultur im Gespräch* bedarf.

So läßt sich nun auch feststellen, daß die Phänomenologie, was die Unterscheidung zwischen Interkulturalität und Multikulturalismus betrifft, *ohne* geschichtliche Evidenz bleibt; sie kann diese auch nicht einfach konstruieren, wobei eben dieses „ohne" auf das verweist, was sich *in der Ohn-macht der Offenbarkeit der Welt verbirgt. So befinden wir uns heute nicht nur in einer Krise der Rolle des Menschen in der Welt,* d. h. wir setzen uns nicht nur mit der Krisis des Humanismus auseinander, sondern sind auch einer *Maskierung* des Sinns der Humanität und einer damit verbundenen Dehumanisierung begegnet, von der aus die *Weile und Weite der Welt selbst und nicht mehr nur unsere Rolle in der Welt gesucht wird.* Auch Europa ist heute damit konfrontiert, sofern es dem geschichtlich vermittelten interkulturellen Sinn *im Unterschied* zum Multikulturalismus nicht untreu werden möchte. Dabei geht es um nichts anderes als um die grundlegende Frage der Freiheit, die nicht nur auf die Autonomie des Subjekts begrenzt bleibt, sondern in den *nomos* der Welt hineinreicht, also in die grundlegende Art der Vermittlung der Mitte der Welt, der wir überantwortet sind. Auf dem Spiel steht also nicht die Freiheit einer zu ihrem Ende gelangten Geschichte, sondern das Offensein für das *geschichtliche Gespräch* als einer Überantwortung *in die Sagbarkeit der Welt*. Das wäre die Interkulturalität als die *Kultur im Gespräch*, die sich vom Multikulturalismus dadurch unterscheidet, daß sie diesen Unterschied in sich selbst als ihre *eigene Überlieferung* aufnimmt und auf diese Weise für Differenzen empfänglich ist.

Wo es um die philosophische Frage nach dem interkulturellen Sinn Europas geht, der auch an der jeweiligen politischen und wirtschaftlichen Gestaltung der Europäischen Gemeinschaft beteiligt ist, ist diese Möglichkeit einer *Kultur im Gespräch* überaus ernst zu nehmen.

Die Europäische Gemeinschaft beginnt eben aus diesem Grund gegenläufige Tendenzen aufzuweisen, und zwar ohne jede Sicherheit, daß sich diese zu einer höheren Einheit zusammenfassen lassen. Als Wissensgesellschaft will Europa zum entwickeltsten globalen Wirtschaftsstandort avancieren, obgleich offenbar ist, daß dieser Prozeß der Machtgewinnung die Auslöschung der *Überlieferung* zur Folge hat, von der er nicht zuletzt herrührt und darin eben die *Philosophie* betrifft, wie das von Husserl in seinem berühmten Wiener Vortrag beschrieben wurde. Wird sich Europa allein dem Anspruch einer Expansion der Macht der Subjektivität unterwerfen,[112] kann es mit schweren Konflikten auf dem eigenem Terrain rechnen, die nicht nur die momentan in den Medien aktuellen Kollisionen gesellschaftlicher und politischer Art

---

[112] Vgl. dazu Cathrin Nielsen, „Martin Heidegger: Evropa in zahod" [Martin Heidegger: Europa und das Abendland], *Phainomena* XIII/49-50 (2004), S. 19-38.

betreffen. Der grundlegende Konflikt wohnt einer Möglichkeit des Menschseins inne, die – den Machenschaften der gesellschaftlichen Macht als einer Folge des Prozesses der bloßen Machtgewinnung überlassen – notwendigerweise zur *Dehumanisierung* führt. Die Unterscheidung zwischen Interkulturalität und Multikulturalismus kann uns vor einer solchen Entwicklung freilich nicht bewahren; sie sollte auch nicht als eine moralische Entscheidung verstanden werden, sondern einfach als der Schritt zurück zu der phänomenologischen Sache selbst: daß *die Welt unterschiedlich spricht.*

Europas Contemporalität

Versucht man, die heutige Situation Europas aus einem philosophischen Ansatz zu verstehen, taucht automatisch die Frage auf, ob damit zugleich eine konkrete Chance zur Verständigung über die Zukunft Europas geboten wird. Die Philosophie hält sich gegenüber einem solchen Angebot eher kritisch zurück, wobei diese Zurückhaltung nicht als ein Zurückweichen vor der konkreten Welt mit ihren geschichtlichen Problemen zu verstehen ist. Man muß sogar sagen, daß die geschichtliche Konkretheit Europas ohne die kritische Haltung der Philosophie nicht das sein könnte, was sie ist. Daraus folgt wohl auch die Frage, was Europa heute ist, eine Frage, welche die Philosophie in ein Gespräch bringt, in dessen Durchgang sie ihre eigene kritische Sprache zu entfalten vermag.

Ein solches Gespräch kann gewiß nicht zum Ziel haben, die Wirklichkeit Europas zu bestätigen oder sie sogar zu festigen, denn das würde bedeuten, daß diese Wirklichkeit schon im voraus als eine indiskutable Gegebenheit ohne Alternativen und insbesondere ohne die Möglichkeit eines Anderen angenommen wird. Ein philosophisches Gespräch, das davor zurückweichen würde, kritisch über die Begrenztheit des heutigen Europa durch „Unmöglichkeit", das „Unmögliche" und „Ohnmacht" zu sprechen, würde sich mit Hinblick auf die Enthüllung der Wahrheit als unglaubwürdig erweisen. Es würde im voraus auf die Möglichkeit verzichten, daß die Wahrheit auch eine andere und anders sein kann. Im Sinne einer solchen Abgrenzung ist somit auch die Anerkennung zu verstehen, daß die unbegrenzte Ausbreitung der Macht, die den heutigen Globalisierungsprozessen zugrunde liegt, nicht „alles" ist, und daß uns in diesem Sinne ein Gespräch bleibt, das – sollte es geschichtlich möglich sein – diese Möglichkeit aus einer vorlaufenden Erfahrung schöpfen muß.

Eine solche geschichtliche Erfahrung, deren Aufschlußkraft sich für Europa unmittelbar nahelegt, ist durch die Überlieferung verschiedener Sprachen vermittelt, die sich bereits zu einem gemeinsamen Gespräch zusammenfanden und noch weiterhin zusammenfinden, ohne daß *eine* Kultursprache die Oberhand über die anderen gewinnen würde. Dabei lassen sich weder die in der Vergangenheit wie die gegenwärtig ausgetragenen konflikthaften Beziehungen zwischen diesen Kulturen verneinen noch ihre „geschichtlichen" Tendenzen zu einer kulturellen und nationalen Vorherrschaft. Durch diesen tradierten Zustand wird das Verständigungsinteresse eher geboten als verneint; man will die konflikthaften Beziehungen durch das gemeinsame Gespräch überwinden, statt durch sie beherrscht zu werden. Dabei muß betont werden, daß sich dieses Interesse weder individuell noch gemeinschaftlich aufdrängen läßt; es muß sich vielmehr aus sich selbst im Sinne dessen herausbilden, was die interkulturelle Lage als ihr eigenes Inter-esse entwickelt. Wird die Möglichkeit eines interkulturellen Dialoges nicht durch ein solches Daseinsinteresse bestimmt, sondern durch Auseinandersetzungen bezüglich kultureller Eigenarten oder politische Interessensphären, dann verkommt der Dialog zum bloßen Mittel für andere Bedürfnisse und vermag nicht jene Verbindungsmitte zu bilden, in die man auf der Grundlage einer geschichtlichen Erfahrung eintritt.

Für die geschichtliche Erfahrung Europas läßt sich sagen, daß sie sich in sich wie eine nachdrückliche Erfahrung der Geschichtlichkeit des Daseins zeigt. Ihre Überlieferung trägt eine existenzielle Aussagekraft mit sich, die verwehrt, daß das Gespräch über den Sinn Europas allein durch die Bildung institutioneller Kapazitäten zustande kommt, die den Teilnehmern an diesem Gespräch einen angemessenen Informations- und Kommunikationsrahmen sicherstellen würden. Viel wichtiger als solche „Installationen" eines europäischen Gesprächs ist dagegen eine aus dem unmittelbaren Dasein entspringende Gesprächsbereitschaft, die wie ein freies Bewußtsein davon erwachen muß, was uns heute als eine geschichtliche Erfahrung Europas zukünftig zu einem gemeinsamen Gespräch führen kann.

Dieses spontane Freiheitsbewußtsein hat sich durch die Erfahrung der Verschiedenheit der Sprachen und Kulturen Europas bzw. überhaupt durch das Vermögen zur Selbstunterscheidung individualisiert. Eben aus diesem Grund läßt sich diese Erfahrung nicht wie ein allgemeines „Identitätsband" in das europäische Gebäude einfassen. Und noch weniger kann man sich mit einer „einheitlichen europäischen Kultur" auf dessen Grundlage identifizieren. In dieser Hinsicht ist bereits die Proklamierung „Wir Europäer" problematisch. Das Bewußtsein dieser Erfahrung ist je nach Sprache und Kultur verschieden und manifestiert sich auf die ihm jeweils eigene Weise. Obgleich sie sich keiner höheren Einheit unterwerfen läßt, wird sie jedoch von uns allen geteilt, so daß sie eine Welt bildet, die als „unsere gemeinsame Welt" betrachtet werden kann – auch dann, wenn sie uns mit Bezug auf die Werte trennt, durch die das Bewußtsein von ihrer „Identität" gestiftet werden sollen. Der Sachverhalt, daß wir uns in der jeweils eigenen Verschiedenheit zu einem Gespräch zusammenfinden, geht jeder werthaften Bestimmung der Identitäten und auch der Identität selbst als einem bereits hergestellten Wertmaßstab wesentlich voraus. Wie ist nun der Charakter dieses Vorausgehens im Kontext dessen zu bestimmen, was sich uns wie ein europäisches Gespräch verschiedener Sprachen überliefert?

Eben dieses Erfahrungsfeld, das jeder Gewährleistung einer Identität vorausgehen sollte, bezeichnen wir als die „Contemporalität Europas". Es ist dabei kritisch zu hinterfragen, ob nicht gerade die Gewährleistung und Vollendung der Identität des Vorhandenen als einer bedingungslosen, alles ergreifenden Macht die Erschließung dieser Contemporalität und die Offenheit eines wirklichen Gesprächs über die Zukunft Europas unmöglich macht, insofern es diese Zukunft schon im voraus in bloßen Perspektiven der „Entwicklung" betrachtet. Die Identität dessen, was „entwicklungsmäßig" am Werk ist, trägt ein anderes Gesicht, wenn es zum Zentrum einer Macht gemacht wird, die sich zukünftig entwickeln soll, als wenn man es aus der Mitte dessen erfährt, was ein Gespräch über die Zukunft zuläßt. Dieser Unterschied kann nicht einfach unter den Tisch geschoben werden, an dem man sich dann über wissenschaftliche und politische Standpunkte bezüglich der Entwicklungsstrategien austauscht. Die mögliche Suche nach einem Gleichgewicht setzt bereits eine Synchronisierung der Aspekte „Zukunft" und „Entwicklung" voraus, die jedoch nicht einfach verfügbar ist und sich willentlich nicht erzwingen läßt; sie muß vielmehr mit der Zeit irgendwie von selbst kommen, und andererseits muß man ihr – eben weil man nicht über ihre Vorläufigkeit verfügt – in einem Gespräch entgegenkommen, das von der geschichtlichen Vermittlung der Verschiedenheit der Sprachen Europas herrührt. Diese mögliche Synchronisierung betrifft sowohl die geschichtlichen als auch die sprachlichen Verstehenshorizonte und ist in dieser Hinsicht zugleich diachron, insofern die geschichtliche und die sprachliche Erfahrung vorläufig erst nach ihrer Contemporalität suchen, was etwas anderes ist als „Identitätsstiftung", da diese Suche über die Grenzen des Eigenen hinausgeht und nach einer Berührung mit dem Anderen Ausschau hält.

Im Zusammenhang mit dem Begriff von der „Identität Europas", über den es weder in gesellschaftswissenschaftlichen Theorien noch in der politischen Praxis einen Konsens gibt– was eher zu einer Verstimmung als zu einer (Ein)Stimmigkeit beiträgt – soll hervorgehoben werden, daß hier nicht nur Meinungsverschiedenheiten herrschen, sondern daß wir auch hinsichtlich der Verständigung über ihn nicht weiter kommen, solange sich uns der Horizont entzieht, aus dem heraus er verstanden werden sollte. Dieser „Entzug" wurde in der Philosophie schon vor über einem Jahrhundert als *die* europäische Erfahrung erfaßt, und zwar unter dem Namen „der europäische Nihilismus" bei Nietzsche und später – noch nachdrücklicher – bei Heidegger als die „Seinsvergessenheit" im Sinne eines „Schicksals des Abendlandes". Ungeachtet dessen, wie weit man einen solchen ‚seinsgeschichtlichen Nihilismus' als möglichen Ansatzpunkt zum Verstehen des Horizontentzuges der gegenwärtigen „Identität Europas" akzeptieren kann, ist doch zur Kenntnis zu nehmen, daß der Begriff der „Identität" in der Philosophie ursprünglich als Bestimmung des „Seins" als des „mit sich selbst Identischen" erscheint. Und eben durch das sich von allem anderen unterscheidende „Sein" spricht alles in vielfacher Weise, wie es Aristoteles in seiner *Metaphysik* über „to on legetai pollachos" sagt. Wenn das Sein zur Sprache kommt, spricht es uns notwendigerweise in Horizonten der Verschiedenheit an, wodurch auch seine Geschichtlichkeit bestimmt wird, die sich wie eine Identitätserfahrung in sich selbst als ausdrücklich individuell und unterschieden manifestiert. Das fordert zugleich unseren Willen dazu auf, über diese Unterschiede hinaus eine Identität zu stiften, die alle Horizonte unterschiedslos erfaßt. Diese Unterschiedslosigkeit ist wiederum die Spur des Horizontentzuges, die es zu verfolgen gilt, jedoch nicht durch einen Willen nach Identifikation, sondern durch das Eröffnen eines Gesprächs. Unter „Gespräch" wird hier nicht irgendeine kommunikative Kompetenz zum Dialog verstanden. Folgen wir einem Hinweis Gadamers, ist die Sprache in sich selbst ein Gespräch, weil das Seinsmäßige allein durch die Verschiedenheit der Sprachen spricht. Wenn wir in der bekannten Bestimmung aus dem Werk *Wahrheit und Methode*, „Sein, das verstanden werden kann, ist Sprache", den Nachhall des Aristotelischen „to on legetai pollachos" erkennen, dann läßt sich behaupten, daß die geschichtliche Erfahrung Europas durch die Erfahrung der Verschiedenheit der Sprachen vermittelt wird, die aus sich heraus eine Gesprächsmitte erschließt. Das wird deutlich genau dann, wenn der „Nihilismus der Identität" beginnt, sich zu enthüllen, und sich zugleich die Krise der europäischen Kultur als einer Kernkultur offenbart. Und doch bleibt uns weiterhin das Gespräch.

Wenn wir heute bemüht sind, aus philosophischen Grundlagen heraus die Möglichkeit der europäischen Erfahrung zu thematisieren, geht es uns vor allem darum, auf eine besondere Weise das Bewußtsein von einem gemeinsamen Gespräch der verschiedenen Sprachen zu erwecken. Die Situation des europäischen Gesprächs wird dabei nicht nur durch den Umstand charakterisiert, wer hier spricht und was gesprochen wird, sondern auch dadurch, wie das akzeptiert wird, was uns im Sinne dessen, was da ist, anspricht. Insofern sich eben durch dieses Ansprechen ein „Fehlen des Horizonts" offenbart, wird ein Gespräch nötig, das die Macht des Tatsächlichen, welche Verschiedenheit nur innerhalb der Grenzen des Eigenen und nicht an der Grenze zum Anderen gestattet, auf irgendeine Weise zu brechen hat. Eine solche Verschiedenheit im Gespräch eröffnet sich nicht als Tatsache eines vorgefundenen Zustandes der Gegenwart. Sie erwacht in einem dialogischen Zwischen, das die Erfahrung des Fehlens des Horizonts dadurch zuläßt, das es die Horizonte zwischen dem Vergangenen und dem Zukünftigen erschließt. Was uns im dialogischen Zwischensein in die Mitte der Horizonte versetzt, d. h. in die Mitte des Ansprechens dessen, was da ist und uns als Welt beherrscht, das möchten wir unter dem Namen »Contemporalität« erfahren. Insofern hier ausdrücklich von der „Contemporalität Europas" die Rede ist, ist schon im voraus offensichtlich, daß sich diese keiner bereits gestifteten Identität entnehmen läßt, weil sie wie ein ‚Zwischen' jede gesetzte Identität als einen Berührungspunkt von Verschiedenheiten enthüllt.

Europa ist heute bemüht, in allen relevanten Bereichen der gesellschaftlichen Entwicklung wenn schon nicht an erster Stelle, so doch zumindest unter den ersten in der Welt zu sein. Dieser Sachverhalt bietet jedoch an und für sich keine unmittelbare Antwort auf die Frage danach, wodurch die Contemporalität Europas gebildet wird. Sie darf schon aus dem Grund nicht mit der Entwicklungskategorie der Modernität verwechselt werden, weil sich diese nicht nur gelegentlich, sondern vielmehr permanent in die Krise des eigenen Fortschreitens verwickelt, von dem „stets etwas Neues" diktiert wird. Die Modernität kann somit allein in eigener Contemporalität und nur auf die Art und Weise einer Krise eingeholt werden. Nietzsche enthüllte, obwohl noch tastend, in seinen *Unzeitgemäßen Betrachtungen* als erster diesen krisenhaften Charakter der Contemporalität, wobei ihm die moderne Aktualisierungsweise der Geschichtlichkeit als kritischer Ansatzpunkt diente. Gianni Vattimo nahm in diesen frühen Schriften Nietzsches sogar erste Ansätze derjenigen philosophischen Postmoderne wahr, die die Beschränkung der Moderne in ihrer eigenen grenzenlosen Aktualisierungswut erkannte. Dabei wurde weder von Vattimo noch von anderen Befürwortern der Postmoderne der Umstand genügend beachtet, daß sich die Erfahrung der Contemporalität nicht restlos mit der modernen Konzentration auf die Aktualität dessen gleichsetzen läßt, was jeweils am Werk ist. Ihre Ausbreitungsweise zwischen Geschichtlichkeit und Zukunft weist auf eine wesentlich andere Berührung dessen hin, was heute da ist, indem sie in sich die Möglichkeit des Anderen bildet, d. h. nicht nur dessen, was jetzt am Werk ist, sondern auch dessen, was von selbst kommt, und zwar dadurch, daß sie sich Zeit und Raum zum Zusammenfügen gibt.

Die Contemporalität ist kein „Kontakt mit der Zeit" nur im Sinne dessen, was der Zeit folgt und in dieser Hinsicht jetzt und zeitgemäß ist. Sie kann weder als Modernität noch als Aktualität ausgelegt werden, obgleich sie mit beiden in einem Wechselbezug steht. Insofern „Contemporalität" das bezeichnet, was sich heute in einem Moment des Übergangs zwischen dem Vergehenden und dem Kommenden befindet, bildet sie nicht nur einen Modus der Zeit, sondern auch ihren horizontalen Berührungspunkt, durch den die Zeit allererst da ist. Contemporalität bedeutet also ein Berührungsereignis von Sein und Zeit.

Die Auffassung der Contemporalität als einer ereignishaften Berührung wird sprachlich durch das slowenische Wort *sodobnost* für Contemporalität nahegelegt. Soll dieses Wort sein Bedeutungspotential behalten, ist es nur schwer in andere europäische Sprachen übersetzbar, die sich diesbezüglich größtenteils auf die lateinische Form („Contemporanität"; *contemporare*: gleichzeitig sein; *contemporalis*: gleichzeitig) stützen. Das

Wort *sodobnost* setzt sich aus dem Präfix *so-* (mit-) und dem Stamm *doba* (in der Bedeutung von: was geeignet ist, Epoche, Zeitalter) zusammen, der von der etymologischen Wurzel *dhab* skladati* (übereinstimmen), *stikati se* (sich berühren) abgeleitet wird und auch in den Worten wie *dobro* (gut), *podoba* (Bild), *udobje* (Behaglichkeit), *spodoben* (anständig) vorkommt. Diese etymologische Wurzel hat zugleich eine Bedeutungsverwandtschaft mit der etymologischen Wurzel *ghad**, die den Stamm der Worte wie *dogodek* (Ereignis), *zgodba* (Erzählung), *zgodovina* (Geschichte) bildet. Das slowenische Wort *sodobnost* deckt sich bedeutungsmäßig nicht mit Gleichzeitigkeit; es drückt also nicht etwas aus, was in der Zeit mit der Zeit ist, sondern meint die Berührung des „Mit-der-Zeit-seins" als einen ereignishaften Berührungspunkt für Welthorizonte. Die Contemporalität als ein „Mit-der-Zeit-sein" erschließt dagegen eine seinsmäßige Übereinstimmung oder Nichtübereinstimmung, d. h. die Stimmung der Zeit, durch die nicht nur wir über eine Zeit verfügen, sondern die Zeit zugleich über uns verfügt. Sie kommt in dieser Doppeltheit des „Seins mit der Zeit" zum Ausdruck, in der Horizonte entstehen, d. h. angeeignet und wieder entzogen werden.

Was bedeutet das mit Bezug auf das oben bezeichnete Problem der Contemporalität Europas, wenn seine geschichtliche Erfahrung eine Möglichkeit zum Gespräch über die Zukunft liefern soll? Es wurde festgestellt, daß ein solches Gespräch durch ein unmittelbares Daseinsinteresse veranlaßt sein muß und daß es keineswegs genügt, an ihm bloß „zeitgemäß" interessiert zu sein. Nur auf diese Weise vermag sich eine geschichtlich gegebene Möglichkeit als eine andere Möglichkeit durchzusetzen. Eine faktisch belegte interessierte Auseinandersetzung mit dem Sinn Europas wurde etwa durch die politischen Ereignisse veranlaßt, die ihren symbolischen Ausdruck im Fall der Berliner Mauer fanden, als viele europäische Intellektuelle aus einem zeitgemäßen Bedarf versuchten, die neue geschichtliche bzw. postgeschichtliche Situation Europas zu bestimmen. Es stellte sich dabei heraus, daß die Frage der Contemporalität Europas keinesfalls selbstverständlich ist. In diesem Zusammenhang möchte ich auf Derridas 1990 in Turin gehaltenen Vortrag *L'autre cap* hinweisen, in dem er die in Valerys berühmter Abhandlung *La Crise de l'esprit* an die Europäer gestellte Frage nachdrücklich hervorhebt: „Was werden Sie HEUTE tun?". Wir können hier auf Derridas Ausführungen nicht detaillierter eingehen. Es soll nur bemerkt werden, daß Derridas Dekonstruktion des Geistes dieser Frage zwar die Problematik der Identifikation dessen enthüllt, was heute da ist, dieses von Derrida jedoch bloß als eine Seinsidentität und nicht als Berührung von Horizonten verstanden wird, durch die die Erfahrung der Contemporalität als ein Mit-der-Zeit-sein charakterisiert ist, das wesentlich verschieden spricht. Derrida ist darauf aufmerksam, wie heute von Europa gesprochen wird; er ist dagegen nicht darauf bedacht, daß dies bereits eine europäische Erfahrung der Sprache bzw. der Verschiedenheit der Sprachen und der durch sie entworfenen Kulturen voraussetzt. Diese Bemerkung möchte ich mit einem Zitat aus einem anderen philosophischen Werk untermauern, das fast zur gleichen Zeit wie Derridas Werk erschienen ist, nämlich aus Gadamers Buch *Das Erbe Europas*, wo er mit Nachdruck sagt: „Jeder Blick in die Zukunft der Welt und auf die Rolle, die die europäische Kulturwelt über ihre Geisteswissenschaften in ihr spielen könnte, hat davon auszugehen, daß dieses Europa ein vielsprachiges Gebilde ist". Diesen für die heutige Lage maßgeblichen Gesichtspunkt der Mehrsprachigkeit kann man, den Ausführungen Derridas zufolge, als naiv humanistisch bezeichnen. Gadamer untermauert ihn jedoch durch das Ereignis einer Grunddifferenz, das sich bereits am Anfang der Philosophie zugetragen hat und nicht nur die europäische, sondern über Europa hinaus die ganze globale Humanität umspannt. „Es ist somit im höchsten Maße charakteristisch, daß nur in Europa eine solche tiefgreifende Ausdifferenzierung und Artikulierung des menschlichen Wissens und Strebens nach derartigem Wissen entstanden ist, wie es durch die Begriffe von Religion, Philosophie, Kunst und Wissenschaft präsentiert wird."

Die geschichtliche Erfahrung Europas ist nicht beliebig; sie erwächst aus einer Aneinanderreihung von geschichtlichen Umständen, weil zu ihrem Verständnis der Kontakt der Horizonte erforderlich ist. Die Horizonte der Geschichtlichkeit Europas werden eben durch diese „Grunddifferenzierung und Artikulierung des menschlichen Wissens" bestimmt, wie durch den berühmten Aristotelischen Ausdruck „to on legetai pollachos" angedeutet. Obwohl sie als eine mehrsprachige Erfahrung, wie Gadamer hervorhebt, die Grundlage der Geisteswissenschaften bildet, kann wohl mit Recht behauptet werden, daß sie die Wissenschaft als solche bzw. ihre humane Begründung überhaupt betrifft. Diese ist an und für sich problematisch geworden, insofern sie eines Horizontes zum Verständnis dessen entbehrt, was humane Identität heute ausmacht, und eben in dieser Entbehrung über alle möglichen Horizonte hinausdrängt. Die humane Identifikation mit der Konstituierung der Wissensgesellschaft als dem gegenwärtigen *hyperouranion* reicht nicht zum Grund dieser Entbehrung hin, weil sie ihn im voraus als einen Mangel an Macht begreift. Darin ist sie gegenüber der Übernahme von Menschlichkeit und damit auch gegenüber jeder geschichtlichen Übernahme gleichgültig. Es läßt sich daher keine geschichtliche Identität erzwingen; aus der Contemporalität der geschichtlichen Erfahrung bietet sich dennoch ein Gespräch an, welches das vielfältige Sprechen des in die Beziehungslosigkeit Versunkenen wieder in den Vordergrund stellt.

In diesem Sinne soll noch einmal betont werden, daß das europäische Gespräch der verschiedenen Sprachen nicht bloß einen weiteren Punkt innerhalb der Entwicklungsprogramme für die europäische Gemeinschaft darstellt. Insofern es die Contemporalität Europas als einen einzigartigen „Berührungspunkt" von Verschiedenheiten erschließt, bildet es ein humanes Inter-esse, das sich nicht restlos in eine so oder anders systematisierte Funktionsweise der Gesellschaft überführen läßt. Von diesem Systemgesichtspunkt aus, der alles der Funktion eines Machtzuwachses unterwirft, lassen sich im Gespräch bloße Ohnmacht und sogar die Pathologie der heutigen Humanität leicht erkennen. Die unaufhörlichen Aufrufe zur Konstituierung einer Verantwortungsgesellschaft manifestieren jedoch ein gesellschaftliches Unbehagen dahingehend, daß die auf der technowissenschaftlichen Macht basierende Entwicklung, die als der einzige Garant der Zukunft gilt, strittig wird und als solche eine Antwort von der Humanität verlangt und damit auch das Eröffnen des Gesprächs im Berührungspunkt der horizontvermittelnden Contemporalität. Insofern sich das Inter-esse der Freiheit des Menschen eben ‚dazwischen' erschließt, stellt sich nun die Schlüsselfrage, auf welche Humanität, auf wen sich diese Aufrufe beziehen – es scheint nämlich, als bezögen sie sich unumgänglich auf das, was bereits in der Funktion der gesellschaftlichen Entwicklung steht, und als würde auch die Akzeptanz jeder Verantwortung im voraus notwendig als Akzeptanz einer Funktion und nicht als eine spontane Freiheit des grundlegenden menschlichen Inter-esses begriffen. Und eben in diesem Umstand, daß der gesellschaftliche Funktionalismus – mag es sich um ethische, philosophische, religiöse, soziale, bildungsmäßige, ökologische oder andere „Herausforderungen" der heutigen Humanität handeln – niemals problematisiert wird, zeigt sich die Blockade in der Herstellung einer gesellschaftlichen Verantwortung gegenüber der Frage, wer hier was und worauf antworten sollte. Die Blockade, welche der heutigen Humanität eine Identitätssicherheit und Entwicklungsgarantie bietet, läßt diese gerade mit Hinsicht auf die Indifferenz gleich-gültig. Ihr „wer" verwandelt sie in „irgendwer" und ihr „was" in „irgendwas" solange, bis sie auf die Art und Weise aufmerksam wird, wie die Stimmung der Contemporalität mittlerweile zur Sprache gelangt. Diese Aufmerksamkeit läßt sich aber nicht durch irgendwelche Richtlinien erwecken, sondern kann nur spontan als ein Daseinsinteresse erwachen, das über ein Gehör für Verschiedenheit verfügt. Das Gehör für Verschiedenheit birgt in sich den Sinn der Humanität, der uns durch die europäische geschichtliche Erfahrung der Mehrsprachigkeit nahegelegt wird.

Nachdem die grundlegende Frage nach ihr selbst gestellt wurde – die, damit man überhaupt jemand sein kann, von jedem anders beantwortet wird –, steht die Humanität für das Gespräch und damit auch für die Begegnung in der Contemporalität offen, die nach einer Berührung in der Verschiedenheit – und zunächst wohl in der Verschiedenheit ihrer selbst – sucht. Durch die Erfahrung der Contemporalität wird sie eine strittige Identitätsform dessen, was heute am Werk ist und unseren Alltag als Aktualität der „Wissensgesellschaft" bestimmt, die potenziell jeden möglichen Horizont ohne Unterschied erfaßt, wodurch die Möglichkeit der Berührung in der Verschiedenheit aufgehoben wird. Es geht nicht um die Suche nach „Alternativen" zu dieser Gesellschaft oder um irgendwelche Versuche einer „Gesellschaftsrevolution"; gerade durch die Erfahrung der Entbehrung eines Horizonts werden wir zu dem Schluß gebracht, daß vor allem das verstehende Eröffnen eines Gesprächs erforderlich ist, das jedoch nicht einfach zur Verfügung steht, sondern eher Unwillen auslöst, den man, will man sich nicht der Indifferenz überlassen, hinnehmen muß. Die Erfahrung der Contemporalität auf der Spur der europäischen geschichtlichen Erfahrung des Gesprächs unterschiedlicher Sprachen ist nämlich für die Konstituierung und Funktion der heutigen, auf einer technowissenschaftlichen Produktion basierenden europäischen Gesellschaft auf eine Art und Weise störend, die nicht nur die üblichen Schwierigkeiten bei einer konkreten Kommunikation in verschiedenen Sprachen oder etwa die Übersetzung aus einer Sprache in die andere betrifft. Zu ihrer Lösung stehen uns gewiß ausreichende „menschliche Ressourcen", „technische Mittel" und „Finanzinvestments" zur Verfügung. Der Unwille wird eben durch den Umstand ausgelöst, *daß* uns das alles zur Verfügung steht und wir uns seiner in der Überzeugung bedienen, uns der Dinge unterschiedslos bemächtigen zu können, wodurch jedoch ein spontanes Bewußtsein von der Verschiedenheit unmöglich gemacht und durch Identitätsindifferenz ersetzt wird. Das, was uns im Sinne einer Machtkonstitution ein potentielles Erlangen von allem und jedem ermöglicht, löst zugleich eine Not des Interesses am Gespräch verschiedener Sprachen aus, das aus dem Zentrum der Macht an den Rand gedrängt wird und somit nicht in der Lage ist, seine eigene Mitte zu entfalten.

Eben von diesem Rand aus werden aber auch die Grenzen der Ausbreitung der Macht sichtbar, die sich des Ganzen bemächtigen will. Es wird deutlich, daß die Macht über allem dennoch nicht alles ist und eines Horizontes entbehrt, von dem her man die Zukunft überhaupt erblicken könnte. Und eben die Erfahrung dieses „Nicht-alles" bringt die Chance mit sich, von dem, was heute da ist, in Berührung mit Anderem und in der Eröffnung des Gesprächs verschiedener Sprachen anders zu sprechen. Keine dieser Sprachen sagt alles aus, und eben dieses Bewußtsein verpflichtet sie zu einem gegenseitigen Gespräch, in dem die Sprachen einander zuhören können. Eine Sprache, die keine andere Sprache hört, kann auch sich selbst nicht hören. Hört sie sich selbst zu, dann hört sie das Andere ihrer selbst. Und darin meldet sich das spontane Gewissen der Freiheit, von der die Contemporalität Europas jeweils geschichtlich bestimmt worden ist.

Kehren wir zu der von Valéry an die Europäer gestellten Frage „Was werden Sie HEUTE tun?" zurück, dann läßt sich – auch im Zusammenhang mit ihrer erneuten Formulierung bei Derrida – behaupten, daß ihre Beantwortung heute nicht so sehr das Handeln zugunsten dessen erforderlich macht, was den Europäern gemeinsam ist, sondern eher das Gehör dafür, was sich in dem, was heute am Werk ist, entzieht und uns auf der geschichtlichen Spur und als das Gespür für Zukunft dennoch zusammenbringt: das Gespräch der verschiedenen Sprachen.

Literatur

Abel, G.: *Die Dynamik der Willen zur Macht und die ewige Wiederkehr*, Berlin/New York 1984.

Aristoteles: *Nikomachische Ethik*, eingeleitet und übertragen von Olof Gigon, Zürich 1967.

Benjamin, W.: *Das Kunstwerk im Zeitalter seiner technischen Reproduzierbarkeit*, Frankfurt/M. 1977.

Bezlaj. F.: *Etimološki slovar slovenskega književnega jezika* [Etymologisches Wörterbuch der slowenischer Sprache], Bd. 3: P-S, ergänzt und hg. von M. Snoj und M. Furlan, Ljubljana 1995.

Boehm, R.: „Husserl und Nietzsche", in: *Vom Gesichtspunkt der Phänomenologie*, Den Haag 1968, S. 210-227.

Brague, R.: „Evropska kulturna zgodovina" [Europäische Kulturgeschichte], *Phainomena* XI/55-56, 2006.

Cigale, M.: *Znanstvena terminologija* [Wissenschaftliche Terminologie], Ljubljana 1880.

Derrida, J.: *Das andere Kap Die vertagte Demokratie. Zwei Essays zu Europa*, Frankfurt/M. 1992.

Figl. J.: *Interpretation als philosophisches Prinzip. Friedrich Nietzsches universale Theorie der Auslegung im späten Nachlaß*, Berlin/New York. 1962.

Figl. J.: „Nietzsche und die philosophische Hermeneutik des 20. Jahrhunderts. Mit besonderer Berücksichtigung Diltheys, Heideggers und Gadamers", *Nietzsche-Studien* 10-11 (1981/82), S. 408-430.

Figal, G.: *Nietzsche. Eine philosophische Einführung*, Stuttgart 1999.

Figal, G./Grondin, J./Schmidt, J. D. (Hg.): *Hermeneutische Wege. Hans-Georg Gadamer zum Hundersten*, Tübingen 2000.

Frisk, Hj.: *,Wahrheit' und ,Lüge' in den indogermanischen Sprachen. Eine morphologische Beobachtung,* Göteborg 1936.

Heidegger, M.: *Unterwegs zur Sprache*, Pfullingen 1959.

Heidegger, M.: *Sein und Zeit*, GA 2, Frankfurt/M. 1977.

Heidegger, M.: *Holzwege*, GA 5, Frankfurt/M. 1977.

Heidegger, M.: *Hegels Phänomenologie des Geistes*, GA 32, Frankfurt/M. 1980.

Heidegger, M.: *Erläuterungen zu Hölderlins Dichtung*, GA 4, Frankfurt/M. 1981.

Heidegger, M.: *Einführung in die Metaphysik*, GA 40, Frankfurt/M. 1983

Heidegger, M.: *Die Grundbegriffe der Metaphysik. Welt - Endlichkeit - Einsamkeit*, GA 29/30, Frankfurt/M. 1983.

Heidegger, M.: „Die Herkunft der Kunst und die Bestimmung des Denkens", in: *Distanz und Nähe. Reflexionen und Analysen zur Kunst der Gegenwart*, hg. von Petra Jaeger und Rudolf Lüthe, Würzburg 1983, S. 11-23.

Heidegger, M.: *Was heißt Denken?* Tübingen 1984.

Heidegger, M.: *Hebel – der Hausfreund*, Pfullingen 1985.

Heidegger, M.: *Der Anfang des abendländischen Denkens (Heraklit). Logik. Heraklits Lehre vom Logos*, GA 55, Frankfurt/M. 1987.

Heidegger, M.: *Grundprobleme der Phänomenologie*, 1927, GA 24, Frankfurt/M. 1988.

Heidegger, M.: *Prolegomena zur Geschichte des Zeitbegriffs*, GA 20, Frankfurt/M. 1988.

Heidegger, M.: *Zur Sache des Denkens*, Tübingen 1988.

Heidegger, M.: *Beiträge zur Philosophie (Vom Ereignis)*, Frankfurt/M. 1989.

Heidegger, M.: *Vorträge und Aufsätze*, Pfullingen 1990.

Heidegger, M.: *Kant und das Problem der Metaphysik*, GA 3, Frankfurt/M. 1991.

Heidegger, M.: *Der Ursprung des Kunstwerks*. Mit einer Einführung von H.-G. Gadamer , Stuttgart 1992.

Heidegger, M.: *Phänomenologie der Anschauung und des Ausdrucks. Theorie der philosophischen Begriffsbildung*, GA 59, Frankfurt/M. 1993.

Heidegger, M.: *Feldweg-Gespräche*, GA 77, Frankfurt/M. 1995.

Heidegger, M.: *Wegmarke*n, GA 9, Frankfurt/M. 1996.

Heidegger, M.: *Phänomenologische Interpretationen zu Aristoteles*, Stuttgart 2002.

Hegel, Vorlesungen über die Geschichte der Philosophie, Digitale Bibliothek Band 3: Geschichte der Philosophie, Berlin 1998.

Held, K.: „Husserls These von Europäisierung der Menschheit", in: *Phänomenologie im Widerstreit*, hg. von Ch. Jamme und O. Pöggeler, Frankfurt/M. 1989, S. 13-39.

Held, K.: „Europa und die interkulturelle Verständigung", in: *Europa und die Philosophie*, Schriftenreihe der Martin-Heidegger-Gesellschaft 2, hg. von H.-H. Gander, Frankfurt/M. 1993, S. 87-103.

Herrmann, F.-W. von: *Weg und Methode*, Frankfurt/M. 1990.

Hribar, T.: *Resnica o resnici* [Wahrheit von der Wahrheit], Maribor 1981.

Husserl, E.: *Ideen zu einer reinen Phänomenologie und phänomenologische Philosophie, erstes Buch: Allgemeine Einführung in die reine Phänomenologie*, Hua III, The Hague 1976.

Husserl, E.: *Die Krisis der europäischen Wissenschaften und die transzendentale Phänomenologie*, Hua VI, The Hague 1954.

Husserl, E.: *Aufsätze und Vorträge*, Hua XXVII, Dordrecht 1989.

Husserl, E.: *Die Krisis des europäischen Menschentums und die Philosophie*. Mit einer Einführung von Bernhard Waldenfels, Weinheim 1995.

Gadamer, H.-G.: *Wahrheit und Methode*, Tübingen 1960.

Gadamer, H.-G.: „Nietzsche – der Antipode. Das Drama Zarathustras", GW 4, Tübingen 1987, S. 448-662.

Gadamer, H.-G.: *Das Erbe Europas*, Frankfurt/M. 1989.

Gander, H.-H. (Hg.): *Europa und die Philosophie*, Frankfurt/M. 1993.

Goerdt , W.: „PRAVDA. Wahrheit (ISTINA) und Gerechtigkeit (SPRAVEDLIVOST)", in: *Archiv für Begriffsgeschichte* 12 (1968), S. 58–85.

Grassi, E.: *Die Macht der Phantasie. Zur Geschichte des abendländischen Denkens*, Königsten 1979.

Jamme, Chr./Pöggeler, O. (Hg.): *Phänomenologie in Widerstreit*. Zum 50. Todestag Edmund Husserls, Frankfurt/M. 1989.

Joisten, K.: *Philosophie der Heimat – Heimat der Philosophie*, Berlin 2003.

Kadi, U., Keintzel, B., Vetter, H.: *Traum Logik Geld*, Freud, Husserl und Simmel zum Denken der Moderne, Tübingen 2001.

Kirk, G.S./Raven, J.E./Schofield, M.: *Die vorsokratischen Philosophen*. Einführung, Texte und Kommentare. Ins Deutsche übersetzt von Karlheinz Hülser, Stuttgart/Weimar 2001.

Komel, D.: *Tradition und Vermittlung. Der interkulturelle Sinn Europas*, Würzburg 2005.

Knežević, A.: *Filozofija i slavenski jezici* [Philosophie und slawische Sprachen], Zagreb 1989.

Knežević, A.: *Najstarije slavensko filozofsko nazivlje* [Die älteste slawische philosophische Ter-monologie], Zagreb 1991.

Koller, H.: *Die Mimesis in der Antike. Nachahmung, Darstellung, Ausdruck*, Bern 1954.

Kouba, P.: „Nietzsches unmoralische Ontologie", in: G. Figal, J. Grondin, D.J. Schmidt, *Hermeneutische Wege*, Hans Georg Gadamer zum Hundertsten, Tübingen 2000, S. 243-256

Kouba, P.: *Die Welt nach Nietzsche*, München 2001.

Mall, R. A.: *Philosophie im Vergleich der Kulturen. Interkulturelle Philosophie – eine neue Orientie-rung*, Darmstadt 1995.

Mall, R. A.: *Essays zur interkulturellen Philosophie.* Zusammengestellt, eingeleitet und heraus-gegeben von Hamid Reza Yousefi, Nordhausen 2003.

Mall, R.A./Lohmar, D. (Hg.): *Philosophische Grundlage der Interkulturalität*, Amsterdam/At-lanta 1993.

Mall, R. A. *Hans-Georg Gadamers Hermeneutik interkulturell gelesen*, Nordhausen 2006.

Marion, J.-L.: *Réduction und Donation*, Paris 1989.

Merleau-Ponty, M.: *Le visible et l'invisible*, Paris 1997.

Miklošič, F.: *Etymologisches Wörterbuch der slawischen Sprachen*, Wien 1886.

Müller-Lauter, W.: *Nietzsche. Seine Philosophie der Gegensätze und die Gegensätze seiner Philosophie*, Berlin/New York 1971.

Müller-Lauter, W.: „Der Geist der Rache und die ewige Wiederkehr. Zu Heideggers spä-ter Nietzsche- Interpretation", in: F. W. Korff (Hg.): *Redliches Denken*, Festschrift für Gerd-Günther Grau, Stuttgart 1981, S. 92-113.

Nielsen, C.: „Martin Heidegger: Evropa in zahod" [Martin Heidegger: Europa und das Abendland], *Phainomena* XIII/49-50 (2004), S. 19--38.

Nietzsche, F.: *Sämtliche Werke. Kritische Studienausgabe in 15 Einzelbänden*, KSA 1-15, Mün-chen/Berlin/New York 1988.

Ogawa, T.: *Grund und Grenze des Bewußtseins. Interkulturelle Phänomenologie aus japanischer Sicht;*, Würzburg 2001.

Ozvald, K.: *Logika. Uvod v znanstveno mišljenje* [Logik. Einführung ins wissenschaftliche Denken], Ljubljana 1920.

Platon: *Werke in acht Bänden*, griechischer Text von Auguste Diès, deutsche Übersetzung von Friedrich Schleiermacher, hg. von Gunther Eigler, Darmstadt 1990.

Pirjevec, D.: *Estetska misel Franceta Vebra* [Das ästhetische Denken France Vebers], Ljubljana 1989.

Pirjevec, D.: *Metafizika in teorija romana* [Metaphysik und Romantheorie], Ljubljana

Pogačnik J. (ed.), *Freisinger Denkmäler*, München 1968.

Ramovš, F.: „Slovensko. rês ‚verum‘“, *Časopis za slovenski jezik, književnost in zgodovino* III/1–2 (1921), S. 46-48.

Reale, G.: *Storia della filosofia antica*, Milano 1991.

Reale, g.: *Kulturelle und geistige Wurzeln Europas. Plädoyer für eine Wiedergeburt des ‚europäischen' Menschen*, Paderborn 2004.

Ricœur, P.: „Phénoménologie et herméneutique“, in: *Du texte à l'action*, Paris 1985, S. 25-64.

Schneider, N./Lohmar, D./Ghasempour, M./Scheidgen, H.-J. (Hg.): *Philosophie aus interkultureller Sicht*, Amsterdam - Atlanta 1997.

Schneider, N./Mall, R. A./Lohmar, D. (Hg.): *Einheit und Vielfalt. Das Verstehen der Kulturen*, Amsterdam - Atlanta 1998.

Sepp, H. R.: „Homogenisierung ohne Gewalt? Zu einer Phänomenologie der Interkulturalität im Anschluß an Husserl“, in: *Philosophie aus interkultureller Sicht*, hg. von N. Schneider, D. Lohmar, M. Ghasempour und H-J. Scheidgen, Amsterdam - Atlanta, S. 263-276.

Sepp, H. R.: *Praxis und Theorie. Husserls transzendentalphänomenologische Rekonstruktion des Lebens*, Freiburg/München 1997.

Skok, P.: *Etimologijski rječnik hrvatskoga ili srpskoga jezika* [Etymologisches Wörterbuch der kroatischen oder serbischen Sprache], Bd. 3, Zagreb 1973.

Tani, T.: »Heimat und das Fremde«, *Husserl Studies* 9 (1992), S. 199-216.

Trawny, P.: *Heidegger und Hölderlin oder Der Europäische Morgen*, Würzburg 2004.

Urbančič, I.: *Zaratustrovo izročilo* [Zarathustras Mahnung], Ljubljana 1996.

Valéry, P.: *La crise de l'esprit. Note (ou L'Européen), Essais quasi-politiques*, Œuvres l, Paris 1957.

Veber, F.: *Problemi sodobne filozofije* [Probleme der gegenwärtigen Philosophie], Ljubljana 1923.

Veber, F.: *Znanost in vera* [Wissenschaft und Glaube], Ljubljana 1923.

Veber, F.: *Vprašanje stvarnosti* [*Die Frage der Wirklichkeit*], Ljubljana 1939.

Veber, F.: „Nova disertacija iz filozofije" [Eine neue Dissertation aus der Philosophie], *Slovenec* 14 (1943), S. 3.

Yu, Chung-Chi.: „Heimwelt, Fremdwelt und die Zwischenwelten", *Phainomena* XV/59 (2006), S. 106-119.

Orbis Phaenomenologicus
Perspektiven - Quellen - Studien

Herausgegeben von
Kah Kyung Cho (Buffalo), Yoshihiro Nitta (Tokyo) und Hans Rainer Sepp (Prag)

Die Reihe präsentiert Denkansätze und Erträge der Phänomenologie und bestimmt ihre Positionen im Kontext anderer philosophischer Strömungen. Sie diskutiert Aporien des phänomenologischen Denkens und fördert die weiterführende phänomenologische Sachforschung. Die **Perspektiven** widmen sich phänomenologischen Sachthemen, behandeln das Werk wichtiger Autoren und zeichnen ein lebendiges Bild bedeutender Forschungszentren der Phänomenologie. Die **Quellen** versammeln Primärtexte und erschließen dokumentarisches Material zur internationalen Phänomenologischen Bewegung. Die **Studien** legen aktuelle Forschungsergebnisse vor.

Beate Beckmann
Phänomenologie des religiösen Erlebnisses
Studien 1, 332 Seiten. ISBN 3-8260-2504-0

Michael Staudigl
Grenzen der Intentionalität
Studien 4, 207 Seiten. ISBN 3-8260-2590-3

Rolf Kühn / Michael Staudigl (Hrsg.)
Epoché und Reduktion
Perspektiven, Neue Folge 3, 309 Seiten. ISBN 3-8260-2589-X

Cathrin Nielsen
Die entzogene Mitte
Studien 3, 198 Seiten. ISBN 3-8260-2593-8

Beate Beckmann / Hanna-Barbara Gerl-Falkovitz (Hrsg.)
Edith Stein
Perspektiven, Neue Folge 1, 318 Seiten. ISBN 3-8260-2476-1

Guy van Kerckhoven
Mundanisierung und Individuation bei Edmund Husserl und Eugen Fink
Studien 2, 510 Seiten. ISBN 3-8260-2551-2

Takako Shikaya
Logos und Zeit
Studien 6, 154 Seiten. ISBN 3-8260-2661-7

Dean Komel (Hrsg.)
Kunst und Sein
Perspektiven, Neue Folge 4, 250 Seiten. ISBN 3-8260-2852-X

Karl-Heinz Lembeck (Hrsg.)
Studien zur Geschichtenphänomenologie Wilhelm Schapps
Perspektiven, Neue Folge 7, 139 Seiten. ISBN 3-8260-2861-9

Sandra Lehmann
Der Horizont der Freiheit
Studien 9, 114 Seiten. ISBN 3-8260-2961-5

Silvia Stoller / Veronica Vasterling / Linda Fisher (Hrsg.)
Feministische Phänomenologie und Hermeneutik
Perspektiven, Neue Folge 9, 306 Seiten. ISBN 3-8260-3032-X

Rolf Kühn
Innere Gewissheit und lebendiges Selbst
Studien 11, 132 Seiten. ISBN 3-8260-2960-7

Pavel Kouba
Sinn der Endlichkeit
Studien 7, 240 Seiten. ISBN 3-8260-3121-0

Alexandra Pfeiffer
Hedwig Conrad-Martius
Studien 5, 232 Seiten. ISBN 3-8260-2762-0

Dean Komel
Tradition und Vermittlung
Studien 10, 138 Seiten. ISBN 3-8260-2973-9

Madalina Diaconu
Tasten, Riechen, Schmecken
Studien 12, 500 Seiten. ISBN 3-8260-3068-0

Harun Maye / Hans Rainer Sepp (Hrsg.)
Phänomenologie und Gewalt
Perspektiven, Neue Folge 6, 284 Seiten. ISBN 3-8260-2850-3

Javier San Martín (Hrsg.)
Phänomenologie in Spanien
Perspektiven, Neue Folge 10, 340 Seiten. ISBN 3-8260-3132-6

Daniel Tyradellis
Untiefen
Studien 14, 196 Seiten. ISBN 3-8260-3276-4

Anselm Böhmer (Hrsg.)
Eugen Fink
Perspektiven, Neue Folge 12, 356 Seiten. ISBN 3-8260-3216-0

Urbano Ferrer
Welt und Praxis
Studien 13, 196 Seiten. ISBN 3-8260-3131-8

Ludger Hagedorn (Hrsg.)
Jan Patočka – Andere Wege in die Moderne
Quellen. Neue Folge 1,1, 484 Seiten. ISBN 3-8260-2846-5

Julia Jonas / Karl-Heinz Lembeck (Hrsg.)
Mensch – Leben – Technik
Perspektiven, Neue Folge 11, 388 Seiten. ISBN 3-8260-2902-X

Hans Rainer Sepp / Ichiro Yamaguchi (Hrsg.)
Leben als Phänomen
Perspektiven, Neue Folge 13, 332 Seiten. ISBN 3-8260-3213-6

Jaromir Brejdak / Reinhold Esterbauer / Sonja Rinofner-Kreidl / Hans Rainer Sepp (Hrsg.)
Phänomenologie und Systemtheorie
Perspektiven, Neue Folge 8, 172 Seiten. ISBN 3-8260-3143-1

Ludger Hagedorn / Hans Rainer Sepp (Hrsg.)
Andere Wege in die Moderne
Quellen. Neue Folge 1,2, 228 Seiten. ISBN 3-8260-2847-3

Heribert Boeder
Die Installationen der Submoderne
Studien 15, 449 Seiten. ISBN 3-8260-3356-6

Pierfrancesco Stagi
Der faktische Gott
Studien 16, 324 Seiten. ISBN 978-3-8260-3446-6

Giovanni Leghissa / Michael Staudigl (Hrsg.)
Lebenswelt und Politik
Perspektiven 17, 294 Seiten. ISBN 978-3-8260-3586-9

Cathrin Nielsen / Michael Steinmann / Frank Töpfer (Hrsg.)
Das Leib-Seele-Problem und die Phänomenologie
Perspektiven, Neue Folge 15, 332 Seiten. ISBN 978-3-8260-3708-5

Dietrich Gottstein / Hans Rainer Sepp (Hrsg.)
Polis und Kosmos
Perspektiven, Neue Folge 16, 356 Seiten. ISBN 978-3-8260-3498-8

Dimitri Ginev (Hrsg.)
Aspekte der phänomenologischen Theorie der Wissenschaft
Perspektiven, Neue Folge 21, 228 Seiten. ISBN 978-3-8260-3721-4

Anselm Böhmer / Annette Hilt (Hrsg.)
Das Elementale
Perspektiven, Neue Folge 20, 180 Seiten. ISBN 978-3-8260-3631-6

Ludger Hagedorn / Michael Staudigl (Hrsg.)
Über Zivilisation und Differenz
Perspektiven, Neue Folge 18, 312 Seiten. ISBN 978-3-8260-3585-2

Radomír Rozbroj
Gespräch
Studien 20, 320 Seiten. ISBN 978-3-8260-3794-8

Filip Karfík
Unendlichwerden durch die Endlichkeit
Studien 8, 216 Seiten. ISBN 978-3-8260-2866-3

Dimitri Ginev
Transformationen der Hermeneutik
Studien 17, 144 Seiten. ISBN 978-3-8260-3959-1

Mette Lebech
On the Problem of Human Dignity
Studien 18, 336 Seiten. ISBN 978-3-8260-3815-0

Dean Komel
Intermundus
Studien 19, 112 Seiten. ISBN 978-3-8260-4015-3